国家出版基金项目
NATIONAL PUBLICATION FOUNDATION

《三联经典文库》

第二辑

2012 年国家出版基金项目

三联经典文库

111

徐州突围

《徐州突围》编委会　编

生活·讀書·新知 三联书店

图书在版编目（CIP）数据

徐州突围 /《徐州突围》编委会编. -- 北京：生活·读书·新知三联书店，2014.1
（三联经典文库第二辑）
ISBN 978-7-108-04752-6

Ⅰ. ①徐… Ⅱ. ①徐… Ⅲ. ①徐州会战（1938）－史料 ②报告文学－作品集－中国－现代 Ⅳ. ①K265.210.6②I25

中国版本图书馆CIP数据核字(2013)第261892号

111 徐州突围

责任编辑 唐思东 龚黔兰
封扉设计 蔡立国
责任印制 徐 方
出版发行 生活·讀書·新知 三联书店
（北京市东城区美术馆东街22号）
邮 编 100010
经 销 新华书店
印 刷 北京市松源印刷有限公司
版 次 2014年1月北京第1版 2014年1月北京第1次印刷
开 本 787毫米×1092毫米 1/32 印张 12.5
字 数 171千字
定 价 45.00元

《三联经典文库》出版缘起

适逢生活·读书·新知三联书店八十华诞，为弘扬传统，接续文脉，回报读者，服务社会，我们决定策划出版《三联经典文库》。

1932 年 7 月，生活书店在上海创办，此后，读书出版社和新知书店相继成立。本文库第一辑、第二辑所选图书，来自于这三家出版单位及其分支机构，以及 1948 年生活·读书·新知三联书店成立后的出版物，始于 1932 年，截至 1951 年，两辑各一百种。此为第二辑，涉及政治、经济、社会、军事、思想文化诸领域，涵盖专著、文集、散文、小说、诗歌、传记、报道等体裁，既有直面现实、追求真理、讴歌真善美、抨击假恶丑的原创作品，又有引介世界各国先进文化、传播新知、开启民智的迻译之作，真实记录了那一代知识分子的思考与探索、理想与愿景和对中华民族文化传承与创新所做出的努力与贡献。

本文库所辑入各书，多为名家名作，在版本方面，以初版一印本或经著译编者审定、修订、增订过的版本为首选，因此本文库又具有较为珍贵的版本价值和收藏价值。

本文库还将编选续辑，使之成为恢弘文化工程。诚挚希望读者给予批评和指正，帮助我们完善编选工作，再现三联经典作品之风采。殊为遗憾的是，由于年代久远，一些原著译编者及其后人未能取得联系并奉付稿酬，诚盼版权所有者与我们联系。祈愿三联前辈所创造的精神财富能薪火相传，为中华文化的伟大复兴增光添彩。

《三联经典文库》编辑委员会

2013 年 8 月

凡　例

一、本文库为重排本，由繁体字竖排版改为简体字横排版。

一、以忠实于原作、整旧如旧为编辑原则，对当时使用的专有名词、外文译名，以及民国时期的语言和特色予以保留。

一、原书注释如旧，编者所出的注释，均以“编者注”标明，以示与原书注释的区别。

一、对原书残缺或字迹漫漶之处，以□示代。

一、对繁简文本转换时的“如右”、“见左”一类，对应改为“如上（前）”、“见下（后）”。

一、对原书中各种错讹脱衍之处，直接订正，不再以其他符号标示。

一、对数字、标点符号的用法，在不损害原文语义的情况下，做必要的规范。

一、本文库各书均前插原书书影、原书版权页和文库版“本书出版说明”。

一、本书出版说明的撰写，以客观中立为原则，扼要介绍本书的内容、版本流转、著译编者的情况。

本书出版说明

1938年4月，台儿庄大捷，但并未改变抗日战场的基本形势。日军随即集中华北与华中约三十万兵力于5月上旬完成了对徐州的合围，企图一举歼灭约六十万中国军队主力。鉴于日军握有制海权，而徐州一带又属平原作战、无险可守，再加之日军在装备和作战能力上的优势，国民政府遂决定将主力撤出徐州，向徐州西南方向的皖西、豫南地区转移。5月中旬，中国军队主力开始突围，5月下旬突围成功，粉碎了日军全歼中国军队主力的企图，为日后的武汉会战和长期抗战保存了实力，史称徐州突围。

随主力成功突围、到达武汉的记者，有人提出以“徐州突围编委会”名义，个人出资垫钱，刊发广告，征集文章，对来稿的取舍删改以“比较多重内容，而不十分看重文字”为标准，汇编本书，得到了众人的响应。从本书序末的交待而推测，王昆仑、石宝瑚、高公、彭世桢、宗祺仁、李蕤诸先生贡献颇多，有可能是主其事者。

本书由四十二篇文字组成，约十二万字，文章的体裁或战地手记，或突围中的小故事，或短诗；文章的作者来自不同行业，既有名家如范长江、王昆仑，《星洲日报》特派记者、爱国华侨黄薇（武汉新闻战地记者团中唯一的女性）等，亦有无名之辈，他们均从不同侧面真实记录了突围过程中的个人所见所感。本书编纂的目的很明确，一是“明白指出第二期抗战的尾声——徐州大突围中反映的缺点”，力图日后改进；二是“战争胜败的关键，不只决定于最后之战争，而尤决定于艰苦过程中进步的经过。记录胜利的事实，固然重要，而记录失败中的进步尤其重要”，与上海、南京、太原几次撤退相比，徐州突围虽然是在退却中表现出若干进步，而这些进步却是我们弱而大的中国取得最后胜利的象征。

本书特别标注为“集体创作”，由生活书店初版于1938年8月；此次出版，即以此为底本。值得说明的是，“编委会”特意声明，此书的稿费，“除开支外……决议捐给中国青年记者学会，指定作继续搜集材料的专款。希望这笔基金，将来能有再出版其他书籍的机会”。其爱国之心，殷殷之情，溢于言表，令人感慨。

生活·读书·新知三联书店

2013年8月

1938年7月初版书影

集體創作

徐州突圍

實價國幣捌角伍分
外埠酌加郵費

編輯者　徐州突圍編委會

委員　王崐崙　石燕　李丕組　汪止豪　林素園　宗襟仁　長江　胡守愚　高元禮　陸詒　曹孟君

發行者　生活書店

印刷者　生活印刷所

中華民國二十七年七月初版(漢)

原书版权页

目次

插图目次

↑护送李司令长官、白副总长突围之第九师师长郑作民（有＊者）、副师长张琼（有○者）

↑李司令长官、徐参谋长、郭副官（自左至右）

随军突围的各报记者（自左至右）：张剑心、陆诒、曹仲植、关军长、长江。→

↑突围行进中的一行列

↑我主力部队武器齐全在某处集合等候命令

↑我军深夜行军

↑我英勇突围之骑军

↑我机械化兵团堂堂前进

↓掩护退却之我军

↑冲出敌人交通线于白沙集所获得之战利品

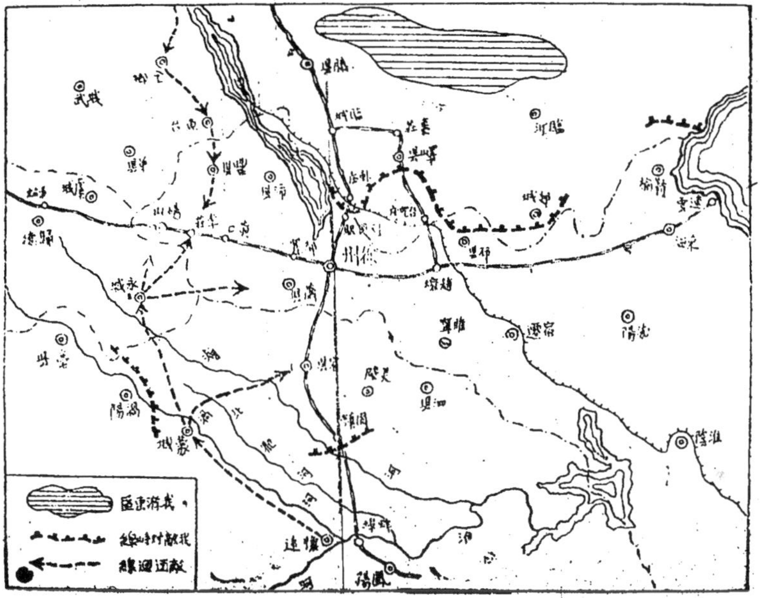

徐州会战形势图

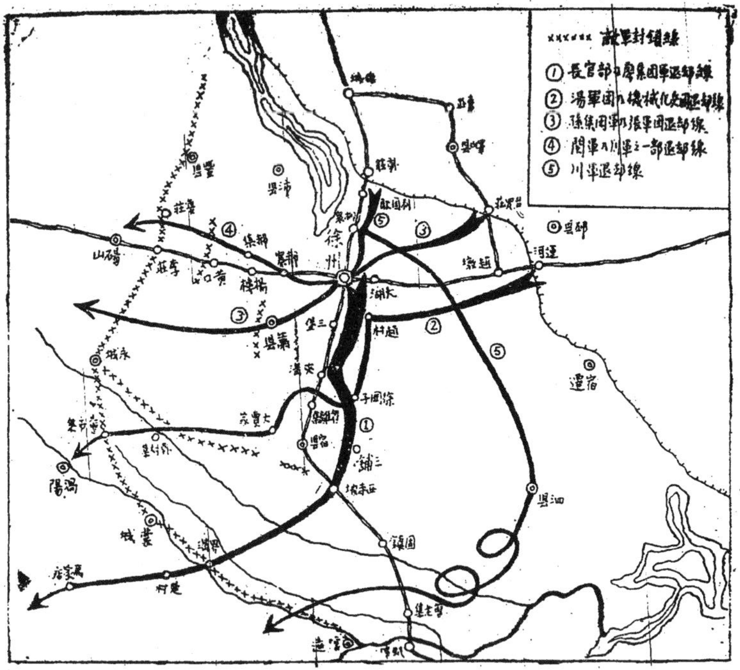
敵軍封鎖線
① 長官部及廖集团軍退卻線
② 湯軍团及機械化兵團退卻線
③ 孫集团軍及張軍团退卻線
④ 閻軍及川軍之一部退卻線
⑤ 川軍退卻線
徐州

我军突围的主要路线

这一个贪吃的强盗的肚皮快要炸烈了！　马达作

我们的机械化部队　建菴作

突击　海流作

所有重武器都一齐拉出来，军队还是我们的军队。“在包围圈内”　罗清桢作

轰炸下的难民列车

残狂的作业　张慧作

哮咆　罗清桢作

序

一　为什么要编这本书

“突围”称不得英雄，打了败仗，还有什么值得大书特书的地方呢？有人觉得这本书——《徐州突围》的编印，实在是多事。并且这批执笔的朋友，都是未曾牺牲，而退到了后方安全地带。自己惭愧之不暇，还有什么脸面来写败退的经过？

是的！这本书不是胜利的记录，不是台儿庄一类胜利的记载，不合英雄主义者的脾味。但是，我们从实生活体验中，却有我们编行这本书的理由。

第一，记录进步的事实。弱而大的中国和强而小的日本战争，决定的胜利，只能期于最后。在长期战争过程中，我们的表现，恐怕失败的成分多，而胜利的成分少。因为国家的现势，让我们不可能在决战力量没有养成之前，随时取得胜利。但是问题在对于抗战的补益，有同样的意义。徐州退却，除了进步方面外，显然有许多缺点，这些正是我们今后应赶紧改进的地方。从突围这一大规模事实演化中，让我们多方面所蕴藏的缺点，有一暴露的机会，还是不容易的事情。更难得的是，本书执笔人是散在各种职业，由各种不同的环境，得到各种不同的观察，彼此相互间认识的并不多。为了加强第三期抗战的进步，明白指出第二期抗战的尾声——徐州大突围中反映的缺点，实在有重要的意义。

二　编印经过和以后

上面是我们许多参与徐州大突围的朋友们共同的感觉。我们经过突围的危难，虽然惭愧既未成功，又未成仁。但是我们的情绪，却一般地相当稳定，不乐观，也不悲观。虽然退却是事实，但是退却的本身显示出若干好转的因子，所以大家觉得这次退却不同于往昔的单纯逃跑，实在有多少划时期的现象，因此我们一次一次的战争中，是否有逐渐进步的表现？如果一次比一次有进步，那么我们所期待的最后胜利，才有保障。而同时最后胜利之是否成为空谈，就全靠艰难战争过程中是否有进步的表现。因此，我们觉得战争胜败的关键，不只决定最后之战争，而尤决定于艰苦过程中进步的经过。记录胜利的事实，固然重要，而记录失败中的进步尤其重要。

因为徐州撤兵虽然是打败仗，但是撤兵的过程，却比十一月上海、十二月南京、十月太原几次撤兵，要进步得多。败退的进步，是难能可贵的。为了显示徐州退却，不是上海、南京败退的重演，而是由于津浦战争艰苦撑持的结果，已经换得了若干的进步，这些进步在退却中表现出来，正是我们接近最后胜利的象征。

第二，指出急待改进的缺点。因为我们今天是正在由失败接近胜利的过程。进步的地方我们要了解，要加紧求进步，而不够的地方，甚至于错误的地方，要赶紧指出，迅速纠正，要尽量减少到达胜利的距离。

大胆指出缺点，和忠实地记述成功，少数人一提倡，大家立刻响应。首先组成了“徐州突围集体创作集”编辑委员会，由编委会负责的朋友大家垫些钱在武汉各大报刊登征稿广告。因为环境和时间不能允许我们有计划执行集体创作，只好就各人所能写而愿写的部分，集合起来。征稿广告登出之后，各方稿件来得意外得迅速与拥挤。最可贵的是许多无名的作家的文章，从前方和后方寄来忙乱中写成的稿件，使我们编委会的朋友，非常兴奋。可惜我们截止的时间太快，私人联系也不够，不能让比较最前方的将士写文章，遗弃了许多精采的内容。而且有突围经历的人，又不见得长于写文章。所以就全部内容说，文字技术，可说参差不齐。但是一般内容，都相当的忠实，而且是不可能重演的记录。因此对投稿取舍删改的标准，比较多重内容，而不十分看重文字。在这个标准下，收集了大概十二万字的文章，其中除了极少数已发表者外，此外都是新稿。当然我们取舍删改的标准，不见得完全适当。但是大家态度比较公平，则是可以指明的。

对于出版问题，承张仲实先生的厚意，愿意拿到生活书店出版，使我们在出版上得到许多便利。对于本书所换得的稿费，除开支外，编委会决议捐给中国青年记者学会，指定继续搜集材料的专款。希望这笔基金，将来能有再出版其他书籍的机会。

这本书的完成，我们应特别指出王昆仑、石宝瑚、高公、彭世桢、宗祺仁、李蕤诸先生的努力。木刻作家们对于本书的热诚合作，为本书生色不少。

编委会二十七年七月四日

从火线到后方

黄　薇

一　民族的血债

自从五月九日起，徐州是遭遇着空前的浩劫。在敌机的无情轰炸之下，电线打断，铁路破坏，医院、民房炸成平地，繁华的大同街，变成了荒凉的一片焦土，即使是十字架高耸，屋顶铺着法国旗的天主堂也难幸免遭受所谓“皇军”的摧残，日本法西斯强盗的不顾世界公理与正义，已经有铁一般的事实来作有力的证明了。国际友邦到了此时，应该明了日本法西斯强盗之侵略中国，决不是单纯的中日问题或远东问题，显然地，它已成为一个严重的世界问题了。所以，对于此次中国的民族解放革命斗争，不该只是空洞的同情，而应该是积极而有效的切实办法。

随着时间的进展，徐州的形势愈益恶化了。十四日下午四点多钟，太阳已经慢慢地向西移动，我们这一群在前线工作的记者们，聚集在离城不远的一个郊野上举行临时会议。我们认为徐州的交通已被破坏，新闻记者的工作——发电报及通讯——已经成了问题，此后的新闻工作，当以归德、兰封等地为中心。所以，除了长江君决定在徐州做最后的努力外，其余的，全体撤到归德，同时还讨论了许多到归德后的工作计划。

夜，九点多钟，我们一行十多人，怀着复杂的心情，跳上了一辆大卡车，向着北站前进。在夜色朦胧之中，流离失所的被难同胞，颓墙败垣的惨景，一幕幕像电影般地在我眼前闪过去。车站的附近，已是炸得体无完肤了。墙垣倒塌，连无辜的树木也遭了殃。车站已经负伤，然而仍是巍然屹立着。它似乎在告诉我们："为了中华民族的生存，我将忍受一切的痛苦，奋斗到底。民族的血债，是需要鲜血来偿还的啊！"

二　铁桥炸毁了

失望袭进了每个人的心，西行的火车，已经无法开行了。敌人炸毁了李庄的铁桥，还派坦克车在桥下潜伏监视，以致无法前往修理，敌人是何居心，不难想象而知。但铁桥十二日即已被炸，而我们到今天还不知道，这不能不说是谍报工作做得太不够了。讲起来实在伤心，在我们感觉到谍报不灵，敌情不明的另一方面，却是人民替敌人刺探军情，指示要塞目标，危害国家民族。这在抗战期中是一个非常严重的问题，换句话说，这应该是一个严重的民众运动问题。因为所谓汉奸，除了一些丧心病狂的民族败类之外，多半是为了缺乏民族观念和生活困苦所致。所以，要消灭汉奸，只有从速把民众组织起来，加以训练和教育，使他们明了抗战的意义，提高群众的民族意识的觉醒，不致为敌人所利用。

火车不能通行了。我们得改变方针。商议的结果是：我和中央摄影社的叶炯君于次日和五十二军关军长[1]同行，其余的全体于即晚动身。但是行李不便携带，大家

[1] 即关麟征。——编者注

检了几件日用品和可能带的东西外，所有的都让它与徐州共存亡了！

三　再会吧！徐州！

第二天早上，东方刚刚发出鱼肚白的时候，我和三位女同志——两位西北青年抗敌协会战地工作团团员和一位十一集团军总政训处服务员——跳上无篷的大卡车。关军长和二十多名卫兵已经在等我们了。

在晨光熹微之中，可以看见许多老百姓，纷纷向外迁移。年轻的人，有的挑着行李，有的背着老人；妇女们有的抱着小孩，有的提着包袱，情形极为狼狈。牛、马、小驴子也夹在这条行列之中，它们时而发出哀鸣，好似有无限的伤感！

行行重行行，逃难的同胞，一批过了又一批，小脚的妇人，一步一拐着，年老的人，坐在小车上打瞌睡。在他们那忧郁、疲惫的表情上，可以知道是星夜逃亡。看了这种情形，我不禁想起《新流亡曲》，而且不由自主地轻轻唱了起来："……流浪到那年？逃亡到何方？

我们的祖国已整个在动荡，我们已无处流浪，已无处逃亡。……”一颗小石子，激起了巨大的波浪，慢慢地，雄壮的歌声，冲破了早晨的静寂，车上的武装同志们，一个个若有同感似的兴奋起来，引吭高歌着：“……来来来！我们休为自己打算，我们休愿自己逃亡，我们应当团结一致跑上战场，誓死抵抗，打倒日本帝国主义，争取中华民族的解放！”逃亡的同胞们用着奇异的眼光目送着我们，他们的内心是否被这歌声感动了，我可不得而知。可是，我们对于这些流浪的难民，究竟应该如何处置？这种消极的流亡，是否抵得住疯狂的日本强盗？

我们不应当任听这种逃亡继续发展下去，我们应当把当地的民众组织起来，让他们在熟悉地理，关系的各种优良条件下，尽他们保卫家乡的责任。况且鲁、皖、豫等省民众，素称强悍，而武装亦多，为什么我们只让人民逃亡，不把他们的积极性提高起来，使他们知道与其死于饥饿，不如和敌人拼个你死我活。现在，国家民族的存亡，已到了千钧一发的危急关头，敌人有的是武器，但我们有着优良的条件——不愿做亡国奴的人民——正如苏联红军政治工作目的上所说的:“我们的军事技术赶不上人,可是我们依靠一种元素——依靠人,在这儿,毫无问题的我们占优势。”广大民众的力量,是我们弱小民族争取最后胜利的保证。在我们这没有重工业基础的中国,假若不动员民众,组织民众,训练民众,那么,将要依靠什么来战胜敌人呢?

温和的朝阳,轻吻着每个兴奋的脸儿,它似乎在安慰着我们:“孩子们!别焦虑!徐州万一失守的话,对于整个战局是没有多大影响的。即使敌人得了徐州,也无非是等于多吞了一颗炸弹,我们为了争取最后的胜利,不但要使每个国民成为抗敌的战士,而且要使每一寸土地,变为一颗炸弹。总有一天,这些炸弹是会爆炸的。那时候,也就是‘日本帝国’的末日了。”我一再回顾着这遭受创伤,然而依旧巍然屹立着的徐州城,它好似向我们露着光明、胜利的微笑!

四　果敢慈祥的军长

“轰轰隆隆!”这是炮声,而且慢慢由远而近了。

到了刘庄，只见停着许多从前面开回来的军车，询问之下，知道敌人已逼近十余里的地方，并且还有装甲汽车和坦克车，但详细的情况不明。在这种形势之下，我们究竟应该前进呢？后退呢？实在颇费踌躇。关军长思考了一下，沉着地翻开军用地图加以一番研究，他很果敢坚决的说：我们现在已是处于前后左右四面包围之中，进既不能，退又不得，但在这进退维谷的困境之中，只有冒险前进，突破敌人的包围线，才是我们的生路。军长征求我的意见，我坚决表示愿以大无畏的精神，勇往直前，畏缩、退让决不是我们的希望。于是立刻调整阵容，准备与敌人作一次殊死战。我则临时和武装同志们学习开枪和丢手榴弹。各个人抖擞着精神，抱着冲锋杀敌的雄心，一点儿也没有畏缩的样子。

枪声，炮声，越来越响了。公路已被破坏，我们决定绕着小道走，但是因为地理不熟，深恐误入敌人的阵地，只得请当地老百姓做向导。可是老百姓们听见隆隆的炮声，不愿冒险前往。虽然关军长以非常温和的态度对待他们，并且愿以十块钱作为酬劳，但结果谁都把自己的性命看得比十块钱还要高贵。“他们总是把自己的利益看得高于一切，所谓‘军民合作’，实在还差得远哩！”关军长叹了一口气，表示不胜感慨系之！我的内心深深地感觉到对民众动员和宣传的工作做得太不够了。

“军队是政权的武装柱石，是政治斗争的武器。”它是与人民密切联系的。军队脱离了政治领导，脱离了人民的关系，取不到群众的拥护，那它不但不能作战，担负它的武装任务，而且不能存在。但在目前，我国军队仍旧不能与人民取得密切的联系。据从东战场回来的朋友，谈到在昆山、太湖一带的我国军民，不特不能合作，几乎是处于对立的形势。在那些地带，连军队的向导都要用拉夫的方法去拉来。一般的情形是：一方面是军队鸣枪扣船；他方面是人民故意把船沉到河底而逃亡。在人民中间，发生了“日本人来了也不过如此”的心理。像这样下去，军队怎样去配合人民？人民怎样能来拥护军队呢？

从中国抗战性质上说来，军民应该是联合一致的。造成目前的不合作现象，原因自然很多，但主要的是由于军民两方面的政治训练和政治认识不够。更具体一点说，是由于政治上的缺点所形成。不管它是战略战术上的缺点也好，军队组织上的缺点也好，民众组织的缺点也好，其实都是政治上的弱点的反映。因此，只有在各方面克服这些缺点，才能使军民紧密合作，共同为争取最后胜利而努力。

关军长不许士兵用武力强迫老百姓做向导，他要以慈祥而伟大的态度来感化他们，使他们能自愿的来帮忙。但是，足足等了一个半钟头，一点儿希望也没有。每个老百姓跑来接受了支香烟后，一听见要引路，诉苦一阵，一溜烟就跑了。这种情形，给予我们的是痛心，但决不是灰心。我们坚持勇敢向前冲的主张，最后决定自己依照着地图前进。正在这个时候，一个中年的老百姓迎面走了过来，自告奋勇地表示愿意替我们引路。我们有如得到救星一般的快乐。兴奋、感激、欢欣、快慰种种复杂的情绪，表现在各人的脸上。我们立刻扶他坐到车上来，向着前面行进。

五　突破了重围

炮声，枪声，依旧在耳鼓里震动着，但我们反而一个个勇气百倍地准备着冲过敌人的重围。四点半钟左右，车子驶到了敌人的最后包围线，大家在镇定与沉着之中，分别视察着四周的动静。忽然，在远处的麦丛中，几个黑影子在晃着，急速地，向着我们移动来了。心里想："牺牲自己到最后关头！"年轻的小妹妹闻女士紧抱着我，苹果似的脸蛋儿，已经罩上了一层恐怖。"我们是五十二军军部。"还是军长眼快，他已看出了跑过来的是他们第二师郑洞国的部队。由此，我们知道已经到了安全地带了。

到唐寨时，太阳放射着温和美丽的光辉，抚慰似的照耀着我们。大家把一颗七上八下的沉重的心，放了下来。一个个活泼地跳下了车，如蜜蜂一般地挤到水井旁边，团团围住。虽然明明看见井水里是混杂着许多泥土，但为了饥渴所驱使，有如获得甘露一般的抢着就喝。北方缺乏水量，澄清的水是不容易看见的。

在此地布防的第二师的弟兄们聚拢了来，他们问了一些在路上的情形后，就兴高采烈地抢着告诉我们今天夏庄血战的事情："我们参加台儿庄会战的第二十五师部队，因为由连防山调回 ×× 补充，昨晚路过夏庄。

敌人不知底细，于今早发动了十多辆坦克车，装甲汽车和三千余部队来进攻。我军得到消息后，就立即起而迎战，一会儿，敌军战车已冲近南门，车上跳下了一个指挥官，正挥动白旗要向部下指挥时，即被我军第一枪打死。敌军受了这个打击，就用坦克车冲过来，我们的弟兄们展开了英勇的雄姿，努力向前冲，结果，被我们击毁了八辆坦克车，数辆装甲汽车，毙敌联队长、中队长各一人，并夺获重机关枪和步枪共百数十支，敌人抵抗不住，赶忙抱头鼠窜。这一仗真是打得太痛快了。”他的脸上现出了胜利的微笑。接着，又加强一句：“今天要不是这一仗打胜了，你们此时也许早已成为坦克车下鬼了。”语调中带着几分恢谐和骄傲。

六　光荣的战迹

吃完了饭，天还没有黑，我们趁着黄昏到夏庄去视察我军胜利的战迹。到了夏庄，知道交战地点是在附近的王排坊。我们得了关军长的特许，又驱车前进。个个手舞足蹈着，恨不得立刻飞到目的地去。

“呀！死尸！”池女士惊惶的大声叫了起来。我向路旁一望，被蹂躏了的麦田里，狼藉地躺着许多敌人的死尸，有的只剩下一个血的躯体，头部不知飞到那里去了。

我们的大卡车，威风凛凛地在坦克车旁停了下来。我们比躲飞机时还要快地从车子上跳了下来，叶君忙着摄影，我们则忙着看那战利品。巨型的坦克车，机身全毁，冒着余烟。好像是表现后悔无穷似的。在离坦克车不远的地方，黑压压地围了许多人，进前一望，只见三个敌尸浴于血泊之中，脸部发肿，血肉模糊，耳朵已经被割掉了。衣服脱得精光，一个脚已断了，足袋（日本袜子）丢在一边。一个胸部中弹，露出来的肺脏，已经变成黑色了。看了这种情形，我不禁由愤恨的心情转而为凄凉与怜悯！“日本的民众啊！醒悟起来吧！请问你，究竟为谁而流血？为谁而牺牲？日本法西斯军阀的侵略战争所赐予你们的，除了饥饿与死亡外，还有什么？日本的民众啊！认清你的敌人吧！”

夜幕慢慢向着大地罩下来了。我们为了要赶许多路程，较远的战场来不及去看了。

在归途中，曹同志拿了一把敌人的刺刀给我做纪念，我很高兴的接受了过来，可是，拉开刀鞘一看，赭红的血迹，赫然呈现在我的眼前，无疑地，这是我们英勇抗敌战士的热血。看到了这，我的愤恨之情，禁不住又怒潮一般地汹涌起来！我握紧了刺刀，决心要为我们英勇的战士复仇，我要把残恶的日本强盗杀光。

七　黑夜行军

在夜色茫茫之中，我们回到夏庄，二十五师的部队，已经整装待发。我们找到了一个向导后继续前进。乌云遮住了月亮，四周漆黑无光。一阵阵的凉风，吹袭得人们全身发抖起来。经过了一天的颠簸，大家感觉到疲惫不堪。此时，除了轧轧的车轮声外，万籁俱寂，车上的人们，一个个走到梦乡里去了。

“站住！不许动！”一声巨大的吆喝，把我们从梦中惊醒了。借着汽车的灯光，隐约地看见茫茫的麦丛中，站着一个士兵，把枪口指向着我们，这个突如其来的事变，使睡意朦胧的我们，个个怔住了。“我们是五十二军军部。”一个卫兵轻轻地告诉我说，那是我们的步哨兵。立刻，那位荷枪同志向着我们走来了。“让我们走吗？”“走！”车子向前走了。但每个人被激动了的心，一时不容易安定下来。

“火！火！”不知道是那一位的声音。我抬头一望，熊熊的火光，就在我们前面冒起来了。再向四周一看，呀！左边，右边，后面，都是一片红。那是敌人的烽火。我知道我们已是置身于敌人包围之中，但是只有极力保持镇静，立刻指定方向，照旧由每个人负责巡察，注意各方面的动静。

风儿吹动着树叶、麦穗，发出索索的声音，黑暗、寒冷、静寂、恐怖，威胁着每一个人，但大家在提心吊胆之中，都抱着一致的信念：“敌人来了，一定和你拼一场！”

远处的左方，又冒起了猛烈的火光。那是砀山县城，我们原来打算在那里过夜的。车子愈走愈近，火势愈厉害，剥剥的爆裂声，清晰可闻，火光延长约二里，无疑的，这又是敌机的疯狂“杰作”，是敌寇用我们同胞的血肉和无数的房屋所造成的！记住吧！残暴的敌人！民族的仇恨，是要用血来洗涤！来报复！

至砀山时，已是子夜时分，城内人民几乎逃光，熊熊的火焰，几乎直入云霄，照得满城通红，一阵风吹来，夹杂着难闻的火药气和血腥味。这简直是人间地狱啊！

八　安乐窝？

车子驶进了离城十余里的一个小村子。在黑暗中，摸索到一间黄土屋内。我借着豆大的灯光，向室内巡视了一遍：一个破土灶和两张铺着破席子和几块破棉絮的木板床，无秩序地排列着，占了全室的三分之二。没有桌子，也没有椅子，地上满堆着许多高粱杆，使我辨别不出这究竟是厨房还是寝室。忽然，一阵臭味扑进我的鼻子里，仔细一看，在黑暗的屋角里站着三头牛，睁着偌大的眼睛望着我们，闪烁着的眼光，表示了对于这些不速之客的惊异的神情。"好吧！牛！今晚就请你做我们的卫兵吧！"

我疲倦得四肢无力，合衣倒下床去就睡，不管它是寝室也好，牛棚也好，无论如何，这在今夜总是难得的安乐窝啊！

北方的同胞们，的确太可怜了。他们生活的简单，痛苦，简直不是南方人所想象得到的。这在抗战期中，是不容忽视的一个问题。一般在饥饿线上挣扎着的人们，再加上缺乏民族意识，是很容易被人收买的。许多事实告诉我们，多少壮丁因为当了兵，一家生活无法维持而逃避兵役，多少人因为无衣食而违反自己的意志去当汉奸。

“改善大众生活”，这是抗战后一个有力的要求。因此，要发动民众，持久抗战，光是提出“政治号召”是不行的。没有受训练的民众，不会空着肚子走向抗日旗帜之下集中。改善大众生活，是抗战动员充实人力的必要条件。虽然在这抗战期中，不能有彻底改善的办法，至少应该注意人民生活问题，并且加强组织和教育，使他们明了国民应尽的责任，而不致为敌人所利用。

斯大林说：“战争的最后命运不是由于技术来决定，而是由正确的政策与广大群众的同情与拥护来决定的。”由此可知，广泛地组织和训练民众，对于顺利的进行战斗任务和争取最后胜利，是有着决定的意义的。

九　东洋鬼子怕死

次早，吃了一碗煮白开水的大麦后，就重上归途了。一个下半夜的休息，恢复了每个人的精神。武装同志们有的哼着歌曲，有的要求我讲一些关于日本的事情。我把日本军阀如何压迫人民和民众如何反战的事实告诉他们，并且还说明了日本的侵略战争和我国的民族解放自卫抗战根本不同的地方。他们显得兴奋极了，歌声不知什么时候已告消逝，二十多对眼睛都集中到我的身上来了。

“妈的，日本鬼子要不是那些武器保护着，一步也不敢上前来！”

“嘿！东洋鬼子上战场还怕死哩！每个人的身上带着一张什么鬼符，但结果还不是一样的做了枪下鬼。哈哈！”小个子喜欢说笑话的一个士兵说着，接着是一阵大笑。

“台儿庄的胜利，大家都感觉到非常的兴奋，它不仅加强了我们必胜的信念，而且在国际舆论方面，也获得了不少的同情与赞美。对于诸位英勇杀敌的精神，我们是应该表示万分的敬意的。”想起昨天在夏庄打胜仗的这些第二十五师的弟兄们，在台儿庄之役，是建立过丰功伟绩的，不禁从衷心发出了敬慕之意。

“这谈不上什么‘敬意’，救国是每个人应尽的责任，我们军人既然穿上了军衣，当然应该负起保卫国土的责任。”他停了一下，接着又说：“弟兄们实在勇敢，只可惜武器太差了。要是有飞机大炮的话，我敢担保在短时间内就会把日本鬼子赶出去的。”杨班长两眼炯炯有光，他那坚决的态度，把我们感动得热泪都要流出来了。他是江苏人，据说家中还有妻子儿女，当上海陷落的时候，因为愤恨敌人的残暴，决心离开温暖的家庭来和敌人拼命。这种火一般的热情和铁一般的意志，是我们争取最后胜利的有力保证。但不知一些为私人利益而勾心斗角的人们，对此作何感想？

军队的生活是痛苦的，在这几天之中，我已亲自体验到了。但是他们为了中华民族的解放，为了世界的正义与和平，不惜牺牲一切甚至他们的血和肉，去和敌人拼命。这种伟大的牺牲精神，决不是敌人的任何新式武器所能消灭的。我们知道军队的物质武装固然重要，其精神武装尤其重要。我们是弱小民族的抗战，武器恶劣是势所必然的。假如能使每一个士兵都了解抗战的意义，充分自信抗战到底必然获得胜利的条件，以及跟着胜利而来的，是自由幸福的生活，必然可以增强士兵作战的勇气。我们曾经看到淞沪战争中伟大的战绩，不论敌人的飞机大炮怎样厉害，而将士们仍能在泥水混在一起的战沟里与敌人肉搏到底，支持到好几个月。我们又看到西线的第八路军的屡次以劣势武器战胜优势武器的敌人部队。这是充分地说明了受过革命政治教育的军队，才能在抗战中获得光荣的成绩。只有对各部队加以政治工作上的新改造，才能获得伟大抗战之最后胜利。

十 “遍体鳞伤”的郑州

十九日夜的天气特别晴和。因为关军长有要事，我们在一天之中从归德赶到开封，又趁着朦胧的月夜，一直赶到郑州。到了郑州，知道下半夜有特别快车开往武汉。军长立刻派代表曹同志护送我上车，我便与果敢而慈祥的关军长别离了。

郑州被黑暗包围着，街灯路灯都在死亡状态之中。借着车站的灯光，附近的颓墙败垣，历历可见。一个苦力告诉我，这里几乎天天被轰炸，郑州已经是遍体鳞伤了！他的眼睛里发生了愤怒的光芒！

三点钟，汽笛响了。火车如长蛇般地向着武汉移动，我和曹同志行了一个别离的军礼。回顾着这愈离愈远的郑州，坠入了长期的沉默之中。

（完）

退出峰火场

华侨战地记者通讯团　骆德露

一　烽火弥漫了徐州

敌人的恐怖政策，从五月九日起施用到徐州来了！一天接着一天，几十架散布法西斯罪恶的插翅的“墨索里尼”，挟着重量的炸弹，一批批轮流着骄傲地在这古城上空盘旋！低徊！一架侦察机兜了一个圈飞去而后，接着是一队轰炸机从容地飞来，“轰！轰！轰！轰！”，那破坏正义与毁灭人道的炸弹成双成对地往下扔，一阵暴风雨中的响雷，魔鬼的吼叫声中夹杂着人类悲惨的呻吟，中华民族的呐喊。浓烟笼罩着全城，屋宇倒塌了，熊熊的烈火还要把它烧成平地。可怜仅能逃出一条命的同胞，在田野里，在密林中，在云龙山上遥望烽火中的家，紧张的心爆裂了，一串串的眼泪要想浇熄烈焰，一只只拳头要捶灭火种，日本法西斯强盗。

十四日，镇静的徐州的民众，心里浮起一种凄惨的恐慌了。早晨四点半，旅馆内的茶房像“心血来潮”般地打着各个旅客的房门，再三地关照“躲飞机”，初来的旅客也许会厌他多事，但在你还未穿好衣服的时候，警报“呜呜呜……”地惨叫了，这时你是不能不感激他的好意的。

几日来疯狂的敌机是有次序地要使徐州成为一片焦土，车站炸得可以了，炸教堂；教堂炸完了，炸伤兵医院。今天医院炸光了，投烧夷弹烧民房。警报到入夜九点钟才解除！人们回到城内，只见瓦砾堆中冒起到处弥漫的烟火，血、肉、尸体在烟火中烧成了灰，电线杆折了一段，倾斜着摇摇欲坠，窗户震碎的玻璃片，散布到遍地皆是。拽大车的牲口中着弹片死了，静静地躺在路旁。警察防护团在冷清的街上巡逻。本来在关闭着的大门上贴着“下午五时照常营业”的商店，也不再开门了，这是多凄惨而令人愤恨的一幕情景啊！

夜十二时，我们十二个在民族生死存亡抗斗的战场上奔走忙碌的记者，因为战局重心已转移，坐着无篷的卡车西行了。狭隘的街道整夜蠕动着鸡公车、骡车、大车；成衣店在搬针车，洋货店在搬值钱的商品……。可是，还有可怜的同胞，他们到乡下躲飞机去了！他们还在躲敌人的飞机，他们不知道徐州是被包围了！

二　敌情不明

“知己知彼，百战百胜”这句话，不但军事家懂得，就是勤务兵也懂得了。因为我们，尤其是突围的军队，要明白了敌人的情况，明白敌人的一举一动，才能避实就虚，这是毫无疑义的。但记者这次跟 ×× 军军部突围出来，一路上碰着最危险的时候，常常是敌情不明。

敌人一小部骑兵及坦克车从永城窜抵黄口、李庄一带破坏铁路，开炮轰击通过的列车，及阻碍路工修理，这是十二日的事了。但，到十四日军部还以为有专车西开，好意地用卡车把我们载到北站去。黄处长和站长交涉了半夜，站长还说如果没有专车，也许有一趟蓝钢皮的特别快车要开。后来大家等得不耐烦了，又怕敌机乘月夜空袭，于是不敢久留，便回到集合地点去，军长这时得到消息，知道黄口通不过去了。我们专车坐不成，徒步不打紧。但铁路给敌人破坏了两天，我们还未曾知道，这不能不说是一个谍报不够的严重的问题。

十五日我们跟队伍徒步到郝寨，从上午十时等到下午四时，所得的情报，还是不明敌情，后来不得已才决定到了唐寨再说。黄昏经杨楼车站，横过铁路，再向西行不远，因为一路所得消息，对敌人占据地点不很清楚，不敢冒险前进，又停下来在郝集宿营。第二天所有的谍探都派出去了，但情形仍旧不很知道。一直等到下午二点钟，敌机几次来侦察掉弹了，敌人的炮声机关枪声并且越来越清晰，向这村子进攻了，我们的队伍才赶速向东北撤退。这时候，几个同业走散了，抗敌剧团的一群为民族争取生存走出家庭来战地吃苦的男女青年也走散了，还有一个工兵连也走散了。我们吃了不明敌情的亏。平时我们常常说我们的军队能够打胜敌人的一个条件，是有民众帮助；在每次我军的大胜利中，我们检讨胜利的原因里面，也常常列入一条老百姓给予军队以很大的帮助。这次我军的情报网组织得不严密，不能不要归咎到动员民众的工作做得不够！

二十日晨二点钟，我们跟队伍徒步三十五里到归德车站，看到站上的通告，知道车已不通郑州，只开到民权。因为几天来尽在小村走，情报少，消息不大明白，又走了十五里进归德城，去见保安司令，打听前方的情况。司令表面上看来是很镇静，但骨子里似乎也并不更多知道敌情，如果不是不可以对我们说明的话。

三　危险的夜行军

一夜夜行军，没有一个人说话，没有一个人抽烟，没有一个人照手电筒，静默默地走了七十里。十七日晨抵六座楼，谍探报告前面高寨有少数敌人，黄师长下令冲上去，把它消灭。队伍又继续浩浩荡荡地以攻击的姿态前进。一会儿尖兵的枪声响了，后面我们英勇的将士纷纷拥上去，正要把敌人包围歼灭的时候，突然发现一个轻气球从不远的西南角慢慢地升起来，根据经验，我们知道敌人将要指示开炮的目标了。可是有什么办法对付呢？血肉终究不能与大炮拼。为着避免无谓的牺牲，我们的师长不得不痛心地令几千个弟兄向东郊撤退，一时等候着再继续前进的人们、骡马、大车，一并骚动起来。队伍刚全部离开原有的阵地，敌人“隆！隆！”的炮声便向空的村庄攻打过来。无辜同胞的土房倒塌下去了，土房里压埋着同胞的血肉。

我们这一群徒手的记者，向北跑了好几里，敌机又跟在头上。因为徒步走了一晚，出发时大家都只喝一碗面汤，这时肚饿、脚痛再也没能支持了，于是索性倒在麦田里休息，让敌机过去，再拖着笨重的腿子走进一个寨子里煮高粱饼充饥。但一出寨来，队伍不见了，大家纷纷讨论离开军部要怎样突围的问题，有的主张回徐州再设法，有的说化装上丰县再绕道西行，议论没有结果，终于我们又找到军部。这时我喘一口大气，想起撤退那一刹那的情景，要是迟走了些，我们是吃到敌人机械化部队的亏了。我们是一个贫穷的国家，平时讲到钱头痛。我们没有许多钱建立海军，也没有许多钱建立全国强有力的空军和空防。但在这民族生死抗战的时候，我们英勇的陆军还没有充分机械化的配备。这我们要问问有钱的同胞，是否已尽了“有钱出钱”的责任？

四　最后

我们这一群文化兵，跟军队徒步走了五天，冲出敌人的包围线，脚都起泡了，走不动，不能不雇车，但沿途经过城市、村庄，不但没有黄包车，就是独轮车也雇不到，一县盼望过一县，希望都成了空。有时远远地看见一辆黄包车，心里高兴得说不出话，满以为可以舒舒服服的在车上坐一下了，那知一跑近去，后面已跟着雇客。问问他们从那里来，据说是和车夫认识的，特地到乡去找来。我们跟车夫不认识，眼看是没有坐车的希望了，不得已乃去麻烦县长，请他替我们设法。记得是在宁陵县时，县长抱歉似的而又诉苦似的告诉我们：“几日来经过这里的军队很多，他们需要车子，没有通知县政府，由县政府转雇，自己在街上乱拉，一去就是好几天，害得车夫都逃光了。后来虽告诉他们由县长担保，但他们知道县长的命令在军队中是行不通的。”由他这一段话证明我们雇不到车的原因，我觉得在这第二期抗战的时期，我们的军民还不能密切地联合起来，共同为争取民族的生存而打成一片，而且一部分民众怕军队的不良现象还存在着，这不能不说是一件痛心的事情。深望今后能从政治上再认真地做起来！

鲁南撤军记

林　千

四五个月以来，我一直随军走。台儿庄的大胜利，曾震动了每一个中国人的心，也挡住了“失败论者”“唯武器论者”“恐日病者”的口。然而接着而来的是一个恶梦，我军因为战略上的关系，总退却了。

虽然，此次退却，明知是有计划的，有战斗力的，并非败退，也不是溃退。然而十个月来的英勇抗战，已造成了数十万健儿一致的心理：宁愿拼死在战场，不愿失掉一寸土，“前进”是兴奋剂，“后退”是一味苦药，就算是“以退为进”的话，也制止不住当时的感情。

然而神圣的民族解放战争，是不能靠感情作用的，一道命令终于下来了，“急，整装，待命出动”。这对于我们，像一把利刃刺进了每一个人的心，是凄楚！是悲痛！再也没有前进杀敌时的兴奋心了。

因为是急行军，而且是突围，是要冲破敌人的包围线，随时随地都有遭遇敌人的危险，随时随地都有与敌人发生激战的可能。因为这，沉重而没有军事上价值的东西，必须搬掉，甚至焚毁，而每人只能携带应当携带和可能携带的东西。

一个紧急的集合，紧急的出动，就开始了我们的行程。大家谨守着不喧哗，不打电灯，不抽烟的训示，静悄悄的像一道长蛇，爬过了山岭，越过了池沼村落，羊肠小道，生怕惊醒了一只狗。

台儿庄刹那间出现在我们的眼前，然而匆匆的又消失在离别中，对于这，特别是 ×× 路的弟兄们，是那么恋恋、眷念，不忍轻离。因为在那里每一个街道，每一个角落，都踏遍了我们战士的足迹，曾与敌人拼过生与死，甚至一寸土也掩盖着战士们的鲜血，时常的为了争夺一个堡垒，一营人完全死光了，没有一个人后退。然而终于证明了血肉的长城，是可以挡住敌人的铁蹄的。

夜是漆黑的，没有热，没有光，凉风吹来，依然有点寒意。然而急行军，每一个人的心里都是一把火炬，完全不感到这些，相反的倒有点温暖。长夜漫漫，不提防，失迷了路途，也辨不清方向，敌人的机枪声清晰可闻，大家是一阵焦急。寻遍了几个村落，弄成了有吏夜捉人的现象，才找了两个老百姓做向导，他们最初是逃避，是胆怯，是惊讶！然而当着他们完全明白了我们的来意时，也就安然了，因为这对于他们并没有什么损失，而且这点义务，他们是愿意尽的。不仅这一年来的抗战，可以说无时无地，不仰助于他们，得不到他们的帮助，你将处处发生困难、阻碍。军队不能离开民众。对于我们，特别感到这句话的真切，尤其是在神圣的民族解放战斗中，燃起全民抗战的烽火，这是争取最后胜利的唯一的道路。

不可否认的，这是个普遍的现象：一般的老百姓，对于为自己保卫祖国而抗战的军队，尚存着不少的恐惧心，敬而远之的心理。这在全面抗战的现在，是一个不应该有的现象，也是很使人伤感的事。然而想想看吧！这能怨老百姓吗？过去的传统习惯，把军人高高的悬挂在天上，处处都是军民分离，不合作，而且军人在老百姓的眼里，那简直是一个可怕的蛮不讲理的魔王。抗战到现在，仍然没有弥补其缺，把军与民重新弄到一起，军民合作，同仇敌忾，共同为民族的解放而奋斗到底。这确是神圣民族解放战中的一个危机，也是我们全国上下不可忽视的问题。

我们不怕敌人占领我们的土地，我们所怕的应当是在敌人未占领之前老百姓没有组织起来，没有武装起来，依然是一群羔羊；我们所怕的应当是在敌人未占领之前，老百姓仍然没有了解此次的民族抗战，是在争生存，赌国运，子子孙孙做人与做牛马的交叉点。事到如今，已充分证明了，单纯的军队抗战，是不够的，要争取最后的胜利，那只有燃起全民抗战的烽火。我们应该把每一寸土地，都埋上炸药，把每一个国民都造成一个为民族解放而斗争的战士，让敌人尽量的吞蚀吧，侵占吧，总有一天，在它崩溃灭亡的前夕，它会明白了吞蚀的不是中国的领土，而是中国的炸弹。

为了使敌人不易发现目标，为了避免敌机的轰炸，我们都是昼伏夜行。两昼夜，我们到达了徐州附近的一个村落，在那里宿了营。天一明，敌机就来光顾，三五成群的在天空盘桓，镇日不停。看远处的浓烟突起，从方向证明了那又是敌机轰炸徐州。徐州此时已成了一片焦土，然而敌机不停止的轰炸，似乎想使焦土中再成焦土。我们宿营的村落，也不可幸免。然而人都散开了，隐避在各个不同的角落里，敌机虽不时轰炸，显然并没有找到适当的目标。每一战士都在讥笑着说："看敌机投弹，不又是徒劳而无功吗？他妈的！火线上飞机大炮一齐来，都没有含糊过，这里还是过太平年一样吗？"

逃难的难民太多了，东来的，西去的，南来的，北往的，络绎不绝于途。扶老携幼，负笈担囊，那一幅凄惨的景象。这在每一个战士看来，都是我们民族的残伤重创，复仇的心，燃烧了我们整个的胸膛。我们切盼着再开到前方去，跟日本鬼子算这一笔账。我们都是黄帝的儿女，我们应当为保卫我们的祖国，为保卫我们的父老兄弟诸姑姊妹而奋斗到底。不是我们夸口，大战娘子关，死守台儿庄，南边紧了南边去，北边紧了北边挡，曾没有轻饶过我们的民族敌人。让你们飞机大炮一齐来，没有命令，曾没有放弃过一寸土，尤记得台儿庄大会战的前夕，我们曾隔墙对话："儿子们，不认识老子的大名吧！”“他妈的，又来那硬家伙，打不退，杀不净的××路军！”

终于接近了敌人的包围线了。我们经过黄口时，是在夜间，也许是敌人，不然，那就是汉奸，迎面打了几枪。当着我们展开我们的队伍，准备迎头痛击时，而敌人就消失的无影无踪了。因为我们的目的是在突围，不是寻战，所以一个紧急的集合，又开始了我们的突围长征。

弓上弦，刀出鞘，不见敌人我们不打。突围中，我们时时刻刻的准备着再和鬼子拼一次刺刀。更接近敌人的包围线了，敌人的机枪声清晰可辨，大炮声也不绝于耳，如何冲破敌人的包围，成了我们会谈的材料。按理想应该是冒着敌人的炮火前进，展开一个剧烈斗争，然而事实上并不如此，我们始终以整齐的步伐，镇静的态度，前进。然而当着我们冲过了黄口，并没有看见一个敌人，我们都是唏嘘着敌人那里去了，这样就冲破了敌人的包围线，现在我可以告诉我们的敌人，不久的将来，××路军的影子又会涌现在你们的眼前，那时咱们再见罢！

六月十四日写于××军次

突围归来

廿二集团军战地服务团　朱秀金

阳光不肯露脸，天气阴沉的使人发恨。敌机已到东、南、北关连续轰了六七天了，损失很大。大同街的第二兵站、火药库、邮局、动员日报馆、徐报馆，都蒙受到绝大的危害。这种残暴的狂炸，仍在威协我们无战斗力的民众。市况凋零了，消息无从得知，人心也不似以前镇定，家家户户都向乡下搬。

电灯厂已炸去，全城在黑暗中摸索着，月光惨淡的照着西关。× 军的兄弟从 ××× 转移阵地到 ×× 去，大炮、大车、汽车跟在后面，深夜二时人马不绝迹。我和蒙要去访问政治部的抗敌剧团和 ×× 军的战地服务团，在路上，发现 × 国的国旗，已钉在各布道所、医院、教堂的门上，突然看来，心头感到“冷”。行人很稀，几个岸然道貌的绅士，从右边小巷转出来，低低的谈话，使我疑心他们阴谋和敌人通气。愤怒的情绪，激发到极点，一口气跑到动员委员会，很高兴听到政治部、抗敌剧团已去陇海路，我们默默地为他们前途祝福，更为中华民族前途祝福（十五日）！

形势一天天的恶化，大破坏大轰炸的毒焰正高涨着，铁路员工的英勇服务，无论何人该以十二分的热情来致敬。陇海路随炸随修随通，然而黄口被敌人切断了，汽车也不通。西关，显得有些紊乱，不愿做亡国奴的青年男女，老头儿，小孩子，像潮水般拥过去，他们头也不回的，走上艰苦的行程（十六日）！

早上起床，空气就感到不平凡，×师××师的弟兄都带着重负英勇的过去的。时针指着十时，本集团军留徐部队奉命到柳泉，一大队一大队排列起来，我们跟在特务营的背后，马、自由车……很快的在我们身边滑过去，老百姓在门口带着难以形容的脸色送我们。我们从心底腾起了热血，默默地说：“我们永远为民族斗争，永远不辜负你们。”壮年们的脸上，略表示着奋励坚持的决心，这证明“中华民族是不会亡的”！

出东关，回首徐州，这伟大的古城呀！它产出了民族的英勇，多少双的壮伟的手，曾以最大的努力来支撑它的存在。虽然，眼看着敌人将从我们手中夺去，但这只是时间上的得失，这里留着成千成万的不愿做奴隶的中华民族的优秀儿女。几个月的救亡知识的洗礼，训练他们坚强、勇敢、前进，他们都已准备着“牺牲”，他们不愿苟安，他们有一颗为民族战斗的“决心”，他们将在更困苦中，高举抗敌旗帜，展开抗敌行列，和敌人斗争！

敌机在上空盘旋，炸弹在徐州附近爆裂着，一阵阵的浓烟，结成长条向天上冲，顺风带来了炮弹落在徐州城的声音。我们在不断的敌机的袭击下到了柳泉（十七日）。

白天在默默中度过去，晚上，星星在云空闪眼，月光再不像以前那般光洁了。暗淡，昏糊，是在准备睡眠的时候，我们奉命于今晚撤退。前面很大的艰难在等候我们，我们要征服，征服！

是时候了，本集团军的弟兄在左右，在前后，伴随我们走。大家以急行军的速度从 ×× 出发过 ××，绕陇海东的大湖。这时候，太阳已从山坳里露出红脸照着我们前进，田中的麦，已经很熟了，微风吹过，麦浪有秩序的翻滚。对大自然的景色，无心欣赏，前途的艰苦，使我们加紧脚步跟着走向前去（十八日）！

路程走得很多了，差不多近一百二十余里，预备休息的时候，敌机五十多架从西边过来。他们是去轰炸徐州的，我们卧倒在麦田里，睁大眼睛，看着离不到五十里的徐州。敌人的轻气球在上空飘荡，炮弹响后，阵阵的浓烟发冒，身边的土地在震动，炮声枪声连续的在响，一声声打在我们的心上，心被激动得险些跳出腔子来（徐州于是日失守）！

在韩柳庄少进稀粥、汤水，略为休息，敌机还是不断来袭，时间很快的到四小时，先头部队左右翼的兄弟都走了好久了。我们也收拾上道，走过了很多路，天色已经很黑了，前面的路不易辨认，向北看，火光冲天，……我紧拉着蒙的手在黑暗中彼此对看了一眼，我们知道：徐州城里正展开着世界上最无人道、最残暴的烧杀抢掠，我们的同胞在敌人枪刺下被屠杀了，我们的房屋财产……在炮火下变成灰烬，永远难以补偿的民族仇恨呀，我们要以鲜血来洗涤来报复！

脚步走的更快了，信号的光时明时暗，紧张的听不见谈话，听不见呼声，五十里已经跑过了，先头部队的哨兵发现敌人的主力在前面等候，天已经亮了，我们都走回五里，在 × 庄休息（二十日晚）。

路线决定向西南冲，今天开始冲第一个重围。

六时开始行程，不到七里，先头部队和敌人接触了。左近的庄子里，转出很多的马牛骡，它们听到远来的大炮，机枪声，在狂奔，在嘶叫。妇女从小车中震动得跌下来，孩子在哭叫。

五小时的苦斗，前面路已通，我们跟着部队前进，恐怕失去联络，手紧拉着手，前后拉着皮带，二小时就跑了几十里。前面已到凤凰山，群山的雄姿屹立着，这中间埋藏着敌人的主力，我们的部队又一次和敌人开火，我们偷闲卧在冰冷的石头上，饥寒交迫，使我们不能闭眼。一次次的冲锋号，和密集的炮声交响着，天已经快亮了，鱼肚的颜色在云缝中渐渐透出来，“睡”，我们遗忘了，另一个要题在心里盘算，时间是不会等候我们的，“怎么办？”在我们脑中作祟。

负责人找到二个老百姓引路后，我们决定要勇敢地冲过敌人的包围，我们没有退缩，没有埋怨，鼓起勇气，一口气冲过六个山头。天已微明，敌人发现了我们，大炮、机枪、空中爆炸、手榴弹三面的猛击，我们弟兄们喊“敌人来了朝山上爬”！左边就是峻峭的高山，许多人像潮涌的迅速的爬上山去，后面连接的中弹倒下去，看到山顶，弟兄们聚得很多，× 长高喊：“有枪同志珍贵子弹，不许乱放枪，不准下山……”敌人不见上来，人从西南方下去，末了，只剩我们十一个无战斗武器的同志（五人已冲散），一个一个手榴弹，怪重的，身上的东西全丢了，前面庄子上有没有敌人，不敢细想，但总不愿在山上候敌人来搜索。慢慢的下山，稀疏的机枪伤了我们二个同志，殷红的血，染透了军袴，死在后面鞭策我们继续前进。庄子门关得紧紧的，老百姓在城门上偷望，他们已经受了一整晚虚惊了，他们不开口，只把手指示我向西南走，暗示前面没有敌人。又是七八里，到 × 庄，很大的尘灰，带来恐怖，带来希望，正在侦察的时候，才发现是自己人——三军独立骑兵团。莫明的欢喜，鼓励我们走向前去。一个政训员王 ×× 一人骑马站着，我们告诉他我们的处境，他很同情我们，愿在 × 团长前代为设法借马，带我们同冲重围。我们微笑着，不论跟本军或友军突围，同是一条活的路（二十一日晚）！

又是十七里，见过 × 团长，他在无法中想法子，好容易腾出五匹马，允许二个受伤的男同志和三个女同志骑，其余六位男同志，跟友军步兵冲。六时开始出发，一个老骑兵，以十分关心的同情担任保护工作，马术在未骑前已领教过，自己是女性，马从未骑过，加上不平凡的突围，马一定要狂奔，……一切都不敢想象，马上坠死强如为敌人所俘，五人在马上相警告着，马开始奔驰，我死命勒住马缰，两腿夹住，马大跃步的奔跑，人在马背上跳起来，心脏如倒翻过来一样，不敢多看野地，抱定决心，“誓与此马共存亡”。

十里已跑过，马在黑暗中吃田中的麦，左右翼的信号光照着，马缓步走着，我在马上感到快慰，一丝光明从绝望中产出，我自信有重见青天白日的希望。

马在铁路上开始行进了，清脆的声音刺激我的耳鼓，左边敌人烧我们的庄子，发出强烈的火光，照耀得半天红。我没闲空在这第一道险区顾盼驰骋，别了津浦线，我相信，军民合作的苦斗下，全国团结的努力下，我们会重逢，我们会再见！

马跑得更快了，顾不得汗流、腰酸，紧跟着一匹白马猛跑。黑暗中，一座高山横在前面，马蹄在光滑的岩石上冒火花，深怕自己的马嘶喊，又恐自己落马，苦苦的在挣扎奋斗苦熬（二十二日晚）。

山已过了，马续奔三十里，天明了，发现后面几个老百姓跟着跑。妇人、孩子、老头儿，他们给我鼓励，勇气和信心，他们同样是不甘做亡国奴！

宿营地在山脚下，深深地呼过一口气，跨下马来，× 团长跑过来，紧握了我们的手，为我们祝福，为我们庆幸。我们再也没有感到如今天的满足和快乐了，前面有的是活路，活的路上留下我的足迹来！

当地的老百姓，都躲到山里去了。小鸡叫，大鸡飞，粮食在房子里发异味，主人流浪到别处去，杂物零乱地丢满各地，脚放下去找不到空地站。

晚上跑了百余里，天又明了，沿路发现被我游击队击毙的敌人，赤着手脚伏在田边，我们的牛马被敌人烧得焦头烂额，在树下，在池边，村子里没有一个人，麦子田中待人割，果子成熟了尽人采，随地死人，随地烧毁，中国整个热闹的都市偏僻的村庄给敌人破坏无遗，打破了安居乐业的迷梦。

行行复行行，炮声又响了，马在乱跃，哨兵说是我们自己的，因为 × 团的炮兵团长，给汉奸诱去，准备送给敌人领重赏，交涉结果依然无效，炮兵发了恨，发炮在恐吓（二十三日晚）。

畅快的跑了很多路时，毫不吃力的呼了一口气，天将明了，人马皆困，大家都高兴听到宿营的命令，麦杆边、稻草旁、老百姓家，都住满了我们的伙伴，不到一小时的光景，人被枪声惊醒了，再不敢来睡，坐在一边擦眼抹嘴。勤务兵慌张的跑来，传令赶快上马，五个人镇定的上马，死对我们不是末路，随时随地都有死的可能。一口气十余里，缓步行进时，才知道汉奸把我们宿营地的房子烧了。敌人的一千多名骑兵、步兵、炮兵团、坦克车，汹涌地冲过来，× 团长带着 × 连在抵御，× 营掩护我们先退到 × 庄，预备休息。我总以为能在这里下来，得到稀汤或稀粥，来调剂一日晚的饥饿，但是敌人刚息大炮倒又响起来了，附近的地土在飞扬，顾不到吃、喝，又迅速的上马，抵过 × 河，冲过 × 桥，马跟着前面的马在大跃步的奔驰，偷得一些空，向右边一望，敌人大部队在右面包围过来，马跑得更快了，眼看着几个弟兄落马，自己更小心地勒住马缰。又是三十里，终于逃出重围，选择一个庄子歇下来（二十四日晚，冲蒙城永城）。

吃饱睡足，又是上马。三十里后，大家停在山坳边，月色暗淡的很可怕。前面本军步兵在和敌人发生遭遇战，一条必经之路正被敌人占据，全部人都下马。我困极了，手中牵缰，就在冷石上睡觉。“杀呀，冲呀！”的声音，把我们从梦中惊醒。趁敌人兵力集中在和我步兵作战时，骑兵团绕小路冲过机枪和大炮阵地。前面一条 × 河，这是敌人的警戒线，水齐马的半蹄，很不容易越过，跑的比以前更快更快了。穿过树林，绕过青田，× 团长传令下马。天已明，清楚的看到村长持日本旗子来欢迎我们，在这苟安家伙的心目中，还以为我们是日本骑兵呢。× 长把他带去见团长，团长想了一下，对他谈了很多话，把他交给当地一个有名的救亡耆绅。类似这种情形，一共三次，我们见到一次，我们惭愧一次。真的，我们民运工作太不够了，汉奸是这样多。但是他们饥寒迫，知识又是这样低，整个民生问题不解决，事情总难免（二十五日）。

各纵队排列着，团长带着欣喜的态度勒住马缰，对我们训话："我们已经从敌人汉奸的重重包围中不损一兵一卒脱险了。我们不是消极的败退，我们是积极的突围。从今后，青天白日旗重复让我们见到，将来，我们要不断斗争，和敌人搏战，更勇敢的攻击敌人，消灭敌人。我们要把民族的仇恨挑在枪尖上，民族解放的任务担在双肩。兄弟们！相信自己的力量，拿出勇气来，以我们的热血，活力……打开民族的路！"

一夜的驰骋到了亳州太和间的双沟，因为脱离险区的关系，今天特别自由，唱歌、谈话，不感到疲劳，不感到苦闷，精神都很健旺。歇了来，大家对"睡眠"做一个清算，总计此次冲敌人警戒线四百余里，突围复突围者五次，数天来的骑兵生活，是辛酸也是喜欢，是快乐也是凄惨。

我们向团长告别，难以形容的感谢无法酬答。我们又一次紧紧握着手，他庆祝我们的胜利，微笑在他嘴边荡漾，我们也微笑了，他问我们将来如何，我们回答：“永不灰心，永不失望，献身国家，献身民族！”

好，告别了，果敢的镇静的骑兵领袖暨前进的骑兵战友们，我们在民族解放的战场上，我们彼此携手同进吧，在天涯，在地角，我祝你们永远努力的为民族解放而战斗，为民族解放而杀敌！

徐州最后的一瞥

张郁廉

五月十四日敌机第一次轰炸徐州城里。掷过几次炸弹后，敌机稍稍飞远了，我们赶紧慌忙的从花园饭店跑出来。大同街上堆满了泥土、砖瓦、石块，电灯和电话杆横竖的躺着，断了的电线满了街道，前边四五丈高的钟楼也没有了顶；胡同里照样过不去，好容易穿过一个小巷，一座茅屋在烧着。有哭叫声，我站住了，以后本能的又向前跑去……一直跑到云龙山旁的麦田里。头顶上敌轰炸机又一批一批的飞过去了，这时在担心着司令长官部里的长官们和工作人员的安全，他们每天都工作到夜深两三点钟，而今天早晨敌机来得特别早——五点钟就成群分批的飞来轰炸了。傍晚到中央社，听说司令长官部要将他们一部分工作人员先送走，也希望我们走。急忙到长官部等车出发；白天敌机炸坏了的陇海路轨，没有赶修起来。天亮了，我们移着疲倦的步子向云龙山走去，很多推单轮车和背包袱的人和我们走着同样的方向，有稀疏的炮声从西南方传来。

十五、十六日的白天都在松林里过去的，夜里就到长官部等车。在这里每晚都遇到一些熟识的脸，焦急的等待出发的消息。徐报、动员日报报馆十四日被敌机炸坏了，没有报，消息无从知道，只听西南来的炮声渐近渐密了，据说萧县和霸王山一带有战事。

十七日敌炮由霸王山打到城里，炮弹从头上过，爆炸得很近，敌机也不断的飞来轰炸。早晨就跑到南门外段家花园临时长官部，长官部里的每一个人，都在忙着工作。从高级指挥官们到守卫的兵士，都极镇静、沉着、严肃、尽责任、守纪律。我们慌忙跑来的一群，觉得惭愧了！见着郭处长，他告诉我们晚间七时有车送我们南下去宿县，让我们先回去。宫科长像往日一样，穿着一套整齐的军装跑过来，告诉我们萧县打得很好，我们很有把握……这时敌机一架来侦察，大概看出这里人马多，掷下几个炸弹，炸伤两个人，炸死一个勤务兵和一位参谋。敌机去后，恐怕敌机已发现目标再来轰炸，先让我们和儿童保育会五位女同志、王昆仑先生、中央社三位记者和另外几个人乘一辆车南下。在门口遇到李长官、白副总长和一些官佐们乘车向城里去了。

我们就这样离开了徐州。以后知道长官部十七日避敌机轰炸回到城里旧址继续工作，以后因为炮弹落到那里，又重迁回段家花园，在不受到无谓损失下，守到最后一刻才安然退出了徐州。

冲出重围

陆　诒

从五月九日起，徐州是在敌机连续不断的轰炸下！

敌机的数量，与投弹的枚数，一天比一天地激增！烽火燃烧到面前，战斗中的徐州，依然屹立着雄健的英姿！最痛愤的是，在每一次大轰炸中，总有三五成队，曾经在非洲的一角大肆屠杀弱小民族的，意大利制巨型轰炸机，参与残暴的攻击。声声嘘嘘轰隆隆的炸弹着地，使我们更深刻憬悟到世界上的法西斯强盗，是怎样拉成一线的在进攻人类的文明与和平啊！

在前线上工作的记者们当读到后方书报上在讨论意大利并吞阿比西尼亚问题时，我们是何等的愤激，何等的痛心！我提议某些人们，最好能赶到徐州来尝尝意大利巨型机掷下来的炸弹味道，也许他们的头脑，会炸得清醒些的！

轰炸愈演愈烈，而前方的战事，也跟着越来越紧！蒙城、永城相继失守，鲁西紧张，而陇海路的李庄已经发现了敌迹。由于我第 × 战区高级军事长官特有的坚定与沉着，大家仍然镇定如常，同具坚强的自信心！× 战区的记者们，还在终日轰炸声中，热烈地成立了中国青年记者第 × 战区分会，大家还忙着筹备徐州大会战的座谈会，想邀许多军事专家讲授些战略战术的具体问题，增进一点知识。为了我们这一群青年人，是深感到过去新闻工作做得不够，坚决地自发地要求在工作实践中，不断的学习！

十四日那一天，徐州遭遇到空前的大炸，东关、北关一带，几乎炸成平地，即使是十字架高耸，屋顶铺着法国旗的天主堂也难幸免与炸弹亲吻。电线阻断，铁路交通更是大遭破坏，城内的老百姓，纷纷迁移，使我们食宿都发生极大的困难。所谓新闻记者借以工作的法宝，不过是发电报与发通讯而已，可是时至今日，这两种工作方式，都无从发挥，我们遂为了工作前提，而对留不留徐州的问题，彷徨起来了！深夜，群集室中会谈，结论是徐州已成为前线据点之一，新闻工作中心，已转移到归德及兰封等地，因为在那里也许还有发电报、通讯的可能，而且又可以兼顾鲁西皖北的大战，远瞻整个战局之趋向。可是谁先离开徐州呢？大家都怀着死守徐州的决心，不辞任何牺牲！这里值得我们感动的是那批华侨记者们及《星中日报》女记者黄薇小姐，他们怀着最高度的爱祖国的赤诚，远涉重洋来参加祖国的抗战，他们都决心要目击徐州的血战，即使死了也甘心！不知费了许多劲，才把大家慢慢说服，他们才答应第一批突围而出。我们一行十二人，除留着英勇的长江先生及中央社、塔斯社记者多人，坚守徐州，做最后的努力外，便于十五日的清晨一时首途离徐。

徐州，在第二期抗战中闪着光辉的城市，谁都不想离开它！但我们深信今日的抗战，决不是一个城市的得失，可以决定胜负，而津浦陇海的大战关键，尤其不是近视到只看徐州之得失！坚信即使徐州有什么万一的话，决不致决定整个战局，而“徐州”这个名字，在我们中华民族解放斗争史上，将永远地光荣，永远是辉煌！几个月来，我们这一群同业，奔驰在民族解放的疆场，一旦分离，大家要冒着不可测的危难，各奔前程，各自突围冲出。我们当时的心情，是严肃中带着悲壮！

“珍重吧！”我们跃上大卡车，彼此挥手道别。午夜的皓月，分外清朗，照着云龙山的景色，照着九里山的雄姿，回顾白昼里敌机轰炸的余烬，车中人都浸在长期的静穆中！……

汽车行了三十里，抵郝寨休憩，在那里我们跟军委会政治部的抗敌剧团汇合了。离郝寨再西进，大家提高起警觉性，迈开大步前进，工兵连打前锋，特务连殿在最后做掩护，到杨楼车站，尚无特殊情况，那晚上我们便在杨楼以北三里的郝集宿营。

次晨三十八师在黄师长维纲统率之下，也来此地休憩。情况已经一刻比一刻的紧急起来了，可是大家都很坚決，而且利用下午休憩的时间，做行军突围的布置。敌机在我们这里不断地投弹，闹了好几个钟点，由于大家镇定，躲避得法，受损甚微，可是空中的威协，使我们不能在白昼行军。

傍晚，突然下起大雨来，敌机仅仅在高空遥遥护送，使我们得机在张集，重新集合起来。

晚上，在大雨中，开始急行军，顺着黄河古道而前进。徒步行军，是够疲劳的了，到次晨已走了七十里。在小庄子上，休息了一下，师长下了坚决的命令，我们立刻向高寨的敌人，开始奋迅的攻击！

这是一个难得遇见的伟大场面，我们的队伍，分着三路挺进，展开战斗的姿态。步枪机关枪声，密如连珠，我们侧身在骑兵连中，预备飞驰冲锋。接触未及一刻钟，敌人突然升起了汽球，黄师长很迅速的命令先头队伍仍保持接触，而以大部急向北撤，从北面又迅捷的向东移动。这一下，把敌人弄得莫明其妙，他们对于我们的企图，始终不能判断，所以也未曾出击。指挥这么多的兵，在战线上保持井然有序，实在是一件不容易的事，要是行动略一迟缓，我们随时都有危险！

五月十七日的下午，我们退集在高寨东北的刘六桥休息，养精蓄锐，准备晚上一举而杀出重围。此时，敌人正猛攻丰县，炮声震耳欲聋。守丰县的我军，虽出死力抵抗，但终以寡不敌众，力战而沦陷。

我们四周，已经都是敌人了！敌军的高级司令部，离高寨，仅仅是八里。当地的民众，为我们奔走做谍报工作，使我们在出发突围之前，把敌情弄得清清楚楚。在相反方面，敌人虽然在高空升了两个汽球，侦察了整天，却始终对于我们的企图，摸不着头绪。

在傍晚七点钟，接到第一师长出发突围的命令，我们兴奋的跃上骏马，随着大部队踏上生死存亡的征途！这里要特别提出而郑重感谢的，是那晚上为我们当向导的一位当地老百姓，他的头上，还有给敌人刀砍的伤痕，他是痛恨了敌人，具有最高度的爱国热情，自告奋勇的来帮助军队，引导我们冲出敌人的包围线。走出庄子八里，我们开始在没有路的麦田里行进，不走大路，也不走村庄，从村与村之间的空隙中穿出去。

黑夜里，几千人马密集前进，衔枚疾走，没有谈话的声响，也没有战马的嘶叫。北面，南面以及东边的村落，都有敌人所放的火光，这恰恰是指示了我们前进的方向。再行几十里，发现敌人坦克车的灯光，像几只猛兽凶恶的眼光一样的瞪视我们，大家仍然奋迅前冲，不管前面的敌人是多少，坦克车有多大威力。果然，我们前进不免危险，可是后退又何尝安全，坚决迅捷地冲，也许倒有一条生路！奇怪而幸运的，是当我们正逼近敌人时，敌人不但停止了放枪，而且连坦克车的灯光也关闭了！

敌人对于那晚上我们以攻击姿态突进的急行军，因企图不明，而迟疑了攻击！等我们走了好几十里路，坦克车与敌人骑兵，才开始追击，可是已太迟了！

十八日清晨，由那死的重围里冲出来到黄河口的，计有三十八师的全部，五十二军军部人员，以及十多位随军记者。只有十几位疲乏不堪的新兵落了伍，一位华侨战地记者龙炎川先生因过度疲乏而留在一个已脱危险地带的庄子里休息。回忆那晚上的冒险突围，大家都有一点不可思议之感。我们一晚上，居然走了一百二十里路，除略闻几声敌军警戒步哨枪声之外，没有遇到什么大的战斗！

这天的宿营地点，是××。此后我们总是依着白天宿营，晚上行军的老例，一路前进到归德的一天，又躬逢敌机狂炸。在非洲一角疯狂屠杀弱小民族的意大利巨型机，又是参加在内。在归德，我们目睹川军，因急行而走破了鞋子，走烂了袜子，已经光着脚背，徒步前进。这里我要向后方同胞呼吁，请你们多多送些鞋子袜子，给我们英勇的战士们，让他们不致赤脚走在炎热的尘土中，多一双鞋子给他们，可以使他们少受些痛苦，而加速杀敌前进的步伐！

从归德取道西进，我们完全走的是不经过城市的乡村小道。这一路我们才真正认识了河南的乡村，以及农民的疾苦。河南民间武装力量的雄厚，这是大家都承认的，可是时至今日，敌骑侵入了河南，民间武装力量，可是尚未发动起来，投入抗战的大洪流！

到廿四日，我们才走到许昌，见了铁路，内心有说不出的欣快。在平汉车上，又能够与分道突围的战地同业们重逢，更是喜出望外！可是至今大家悬悬于几位尚未脱离险境的同业们，默祷他们能早日归来。这次，我们虽然经历了好多次危难，受尽风吹日晒长期行军的疲劳，可是内心里始终是愉快兴奋，因为这次徐州撤退，决不是失败，恰恰相反的是，使我们在撤退中，见到了我们战斗力量的增强与进步！

李庄的遭遇战

陆军五十二军二十五师一四九团军需主任　何种仁

我们五十二军在鲁南战场上，辗转战斗，将近二个月的样子。虽然上至关指挥长官，下至士兵，在胜利之火花的炫耀之下，从没一个叫倦叫累，但因伤亡过半，就于五月八日由连防山奉令调回 ×× 整理补充。

五月十四日，徒步行军返抵徐州。这一天自早到晚，徐州城上空布满了敌机，轰轰的炸弹声，震耳欲聋，中心区直冲天际的火光，交炽成惨酷与愤怒的一片。因为一时没有车辆，当夜我们队伍仍是徒步旅次行军西进。

次日，白天里敌机仍常在头上活动。为避免敌机发现目标，我们只得蛰伏在铁路附近村落中。一到傍晚，仍继续西进，夜十一时左右，抵李庄宿营。

在我们队伍离开徐州向西行进的时候，只知道永城敌人有北向铁路窜扰的消息，我们随时警戒着；在途中行军也没有得到什么情报，以为李庄一带，当是安然无事。刚到宿营地点，因过度的劳顿，一刻时光，大家都已呼呼入睡，外面只留两个哨兵担任警戒。

其实，这时敌军香月部三千余人，附装甲汽车五十余辆，坦克车三十余辆，已进犯至李庄附近，准备积极向东进击。原来这就是进攻徐州的先头部队。而这时敌军却已早知我们的宿营地点，至两点钟时，敌即倾全力来犯。

庄外的哨兵，远远发现了敌军猛来进袭，一个哨兵急速到庄内报告，一个仍然隐蔽监视，我们的团长刘德川听到了报告，仍保持着他一向的沉着态度。从他的神情上，现出已胸有成竹，十分有把握的样子。他随即起来带领队伍，出庄迎战。一霎时，敌军战车已冲近南门，车上跳下来一个指挥官，正挥动白旗向部下指挥，当即被我团二连张班长志诚第一枪击毙。这时已到我们军队开始射击的时候，敌军继续驾那魔兽似的战车冲来，我们的战士也展开神勇的英姿，向前冲过去。战事愈来愈激烈，我们机一连李排附相秦，因为机枪发生障碍，他遂率领几个干练弟兄，散卧地上。眼看敌二十五吨重型坦克车，轧轧地从他的阵地上吼过去后，他很巧妙地从敌车后面上去，敌军枪眼一开，他接连着飕！飕！的几个手榴弹摔进去了，照这样的，毁了两架。这时我们的苏罗通炮，也昂然在敌人面前大显神威。在连续射击之下，敌军战车，已有多架被我击毁。

正是阴历十六，悬挂在空中的一轮明月，格外皎洁明亮，照出一片惨烈的战场景色。

天亮了。侵略者的气焰，随着“黑夜”的过去，也消沉下来，渐渐地凌乱了；我们却愈战愈是勇气百倍。敌军残部四向窜奔，终于狼狈退却，又叫我们赏鉴一回“皇军”的风采。

大家忙着整理战利品，这次战斗的结果，共毙千余，内有联队长仓田一员，中队长一员，击毁战车十四辆，内有二十五吨重型车二辆，因为一时无法后运，只得将车上零件拆下，载两汽车运回后方，其余都就地炸毁焚烧；并获重机关枪十多挺，步枪百数十支，辎重及文件无算。

这次遭遇战的主力，是我们一四九团参加台儿庄会战后的七八百弟兄，伤亡的只四十五人。

经过这一次激战后，我们的队伍，仍安全的继续西进，在途中都兴高采烈的，大家相互谈着这次战斗的经历，增加不少解寂寞的材料。弟兄们行走起来，也更加起劲，更加健速。忘记了什么是疲乏，这次激战倒又成了行军的兴奋剂。

说起歼敌的战绩，一般人都称颂并不亚于我们在郭里集歼灭赤柴联队，因为这一股附有多量机械化部队的敌军，如果任其沿铁路向徐州挺进，不予痛击，将给我们西退的大军，以不少的困难。

至于这次遭遇战胜利的原因，是我们的官兵充分接受了我们的军长关指挥长官时常训示我们的：“猝遇大敌当前，首要沉着，方能有精明的判断。如找到机会，须迅下决心硬干”，及师长张耀明先生的：“敌前须沉着应战，非到有效射程，不得乱放一粒子弹”等教训而来。

（完）

徐州退却记

李植人

一　伟大的行列

黄昏，宁静的村子里已经有了吵杂的人声。外间屋子里乱哄哄的，同伴们在整理行装，在分发干粮；精明能干的王先生正匆忙地编列队伍。为了今夜参加军队的行军行列，我们团体十六人严密地组织起来了，一男一女成为“双人队”，另外还选了一个大队长。

“准备集合！”大队长从外面视察回来，发出了号令。

昏黑的广场上，人影蠕动着，四面散布的人们和马匹，都到了集中的地点，司令长官部及十一集团军的官佐们，忙着指挥，命令从他们那里发出，又传到我们这里。夜行时打电筒、吸烟、谈话都在被禁止之列。而且为了怕失掉队伍的联络起见，每个人的颈际都系了一条白手巾。最后，是行军的口令了。×× 是普通口令，×××× 是特别口令。

最末了一个消息：今夜要走五十里路。

同伴们的脑袋里都装满了许多新奇的东西，兴奋与惊奇的情绪拉紧了心弦，好奇的目光在四围探索着，黑幕已经拉下来了。士兵们三三两两铺了毯子在地上睡觉，夜行军在他们是那么普通的事情。场子的一边摆列多辆大卡车，一些人似乎在忙碌着拆毁机器。叮叮咚咚的响声，击破了夜的沉寂。

立刻开行的命令传出来了，熟睡的士兵带着疲惫的身体起来排队，人影和马匹蠕动着，大队缓缓地向大路上进行了。前面的是骑兵队与步兵队，在副官的后面，我们的团体跟随着，最后是炮兵部队和挑夫。

五月的夜，星星在闪烁，下弦月透过薄云吐出光辉，蔓延迂回的行列浴在清淡的月色里，静悄悄的田野，步履踏在泥沙上发出细碎的呼声，人们的心情是宁静与平和，期待着黎明的到来。

二 黑夜渡过河

清晨，天空中现出鱼肚白色，星星不知什么时候隐去了，淡月寂寞地挂在半空。

走近村子的时候听见了鸡叫，队伍准备着休息，一会儿，队伍散开了，士兵们分头寻找自己宿营地盘，马匹被牵到树阴下。

我们还不能马上睡下来，虽则我们已感到极度疲乏，而且脚底起了水泡，防空宣传还必须得进行，女同志被分配到每个茅屋里去。这个村子的老百姓有些留着没有走，而且还有一些妇女。她们看见我们进去，立刻请我们坐，问我们从那里来，那般殷勤，那般亲热，真使人感动。

“没有走吗，老婆婆？”我问她们。

“到那里去呵！我们没有钱逃。”一个女人叹息着。

从他们的口中，知道在我们之先，已经有军队驻扎过了，村子里的粮食已经感到缺乏，连鸡蛋都收罗不到，荞麦也没有。但是，一会儿，一个老乡带来了大筐红萝卜，又帮忙拿水烧茶，让房子给我们休息。

老百姓的朴质、诚笃，太可爱了，虽然睡着的是潮湿的稻草和粪臭味的茅屋，心里却只有感激的份儿。老乡说："都是一家人，应该帮忙帮忙。"老百姓已感到切身的痛苦，敌人在各处的奸淫屠杀，使他们直觉到敌人的残酷。但这决不是什么人来宣传或动员过，老百姓的觉醒也只是部分的。他们的帮忙军队与其说是自动，勿宁说是被动；这儿只有个人痛苦的觉醒，而没有国家的意识存在。

"今夜要走七八十里路，而且从今夜起要突过敌人阵地一百二十多里。"一个长官对我们说，"不过敌人阵地只有极少数的人，我们的队伍很雄厚，左右又有掩护的士兵，你们尽可安心。"这几句话把我们安定下来了。但也有人担心要走太多的里数，脚底已经起了水泡，一走就痛。然而完全没想到的，长官已经为我们的团体预备了两匹马，谁累了都可以得着机会骑。

夜在每个人的期待中来到了，是一个昏黑的夜。黑云遮蔽了月光，只看见缓缓蠕动的人影。为了恐怕失去联络，同伴们都拉紧了手，前后呼应着。有时前面的人停住了，后面的看不见，一脚站不住，就和前面的人贴在一起了。

还没有达到涡河，蒙蒙细雨落下来了。没有御寒衣服的朋友，都咬紧了牙，挺着胸前进。不一会，队伍达到涡河，这由木板草草架成的二丈多宽的过渡桥，显然给黑暗包围的人们多少困难。木板倾斜的架着，一不留心就会滑倒。幸而借用了电筒，半小时之后，人马都安然到达彼岸。雨还没有止住；饥寒与疲惫侵袭着每个人。干粮完了，寒风更紧。想休息，泥土是湿的。但是伴友们依然咬紧牙关，继续前进。目的地是离我们不远了。

三　恐怖的威胁

五点钟到达村庄的时候，突然听到几声枪响，士兵说汉奸放信号。度过了恐怖的昨夜的人们，心情又紧张起来了，几乎不能自持镇静。每个人脸上都被恐怖笼罩着。消息越来越坏了，说是已经发现了敌兵，并且还有坦克车。一刻儿，麦田里散开了炮兵，长官部的客人都被送到附近一个村子里。

几分钟之后，探听消息的人回来，说明了这个谣传，人们安定下去了，但又怀着另一个恐怖：已经是六点钟了，正是敌机出动的时候。然而我们的队伍必须前进找宿营地，命令发出之后，行列以强行军的速度，继续开到不远的村子里去。同伴们跟不上队伍，只好在麦田中抄小路走。麦子已经齐膝，温润润的带着雨水，走出麦田，裤腿湿透了，鞋子沾满了泥。

然而，侥幸的是在飞机没有侦察之先，我们都找到了休息地方。被我们担心着的挑行李的行列，也迅速地达到目的地。马匹系树底下，疏闲地休息一夜的疲劳。

茂盛的林木，沿着河堤整齐的排列着。浓厚的荫影底下，躺着寻觅甜梦的弟兄们。匀调的呼吸，正告诉你，他们是如何的疲劳。五月的原野风温柔地吹来，河水起了薄薄的皱纹，轻轻地吻着想垂下来的枝叶。是新雨之后，一切是清新，鲜妍，乡村是恬静的。

然而恬静的生活不是属于我们的。警报的笛声，又把我们的心弦拉紧了。一会儿，一架侦察机在村子里出现了，盘旋了一周，投了几颗炸弹。村子里显得异常的不安宁了，人们都意识到敌机已发现目标。从屋子里跑到河边的树下隐藏，我和几个同伴都匐伏在河边的斜坡地上。果然，一会儿，“孔孔”的沉重的声音由远而近，几架重轰炸机向树林飞过来了。沉重的声音震动了心弦。我们都被恐怖与愤恨的情绪窒息住了。忽然“喔——孔孔”，两枚炸弹投了下来，接着“拍拍拍”，是机关枪扫射。

“孔孔——拍拍拍”，响声密密的接连着，忿恨的火在燃烧。你残酷的日本军阀啊，尽量发挥你的兽性吧！

“我们要复仇，我们一定要复仇！总有那么一天！”我的心在愤怒的呼号，炸弹投够了，几只发泄了兽性的铁鸟才折回头去。

我们从树底下钻出来，深深透了一口气，回到屋来，看见一些同伴已聚在那里了。大伙儿见了，有一种说不出的感觉。在患难的时候，我们觉得友谊是逾常的珍贵。

预料到飞机还要大批的来，我们又分散去找“安全”地方去躲避。小小的村子里却找不到一块空的地盘。树林里、麦田中挤满了人。结果，王先生、曹先生，冯和我，决定了留在茅屋里。

果然，大批的轰炸机来了，声音沉重而低浊。冯和我刚刚躺在床上。“孔——一个炸弹的响声，好像落在我们头顶上。一骨碌就爬下床来，我们两个都攒到床底下去了。连续的炸弹却似乎投在我们的周遭，房子震动得厉害，落下一些碎片。感谢天——幸而房子还坚固，床板也相当的厚。这次我们又没有发生意外，同伴们也安然归来。

听说这次飞机来袭，正值我们的队伍走过大道（我们的房子就在大道旁侧），飞机低飞至数百公尺，来不及闪避，遭机关枪扫射而死伤的有十几人。

四　烟火底下的春

几日的奔波，同伴中有的生了病。曹先害疟疾，羸弱的身体，还不肯休息地张罗这个那个；几日前活泼泼的孙，也无声息地病倒了；我们的两位俄国朋友这几日亦失掉了谈笑的兴致；最健康的还是阿华，大陈和我。

在蒙城西面的一个村子里。

五月的阳光，灼热了地面，地下铺着的麦草也不断发散着热气，躺在上面午睡的我们，感觉着身上已湿透了。站起来，和煦的暖风吹拂着，觉得非常舒适。麦田里几个小孩追逐着，带着稚气的脸可爱的笑着。虽然是生活在战云的氛围里，他们的心依然如五月的晴空一般清朗。

“想什么，河边洗衣服去！”阿华喊，我望着孩子发楞呢。

真的，飞机不来，我们就有一天清闲的生活。乡村是恬静的，我们三个人缓缓地向河边走去。这里没有人迹。坐在石头上，脱了鞋和袜，用脚轻轻地拂着水，凉意沁入足尖，感到极端的轻快和舒适。

洗了脚，洗衣服。水底的鱼，一群群的游来游去，试着去捉它们的时候，却不知怎么从指尖滑过去了，竟是一个也抓不到。我有点生气，在泥土中找了一块石头向鱼儿集中的地点抛过去。这样一来，它们非常伶俐地跑开了。“我的石块也像日本飞机一样的不成吗？”我心里想。但想到自己是无辜的鱼儿的屠杀者时，我又羞愧地把石头抛开了。

同伴显然不愿意离开这块安静的地方，大陈站在桑树底下摘桑子，我也加速脚步奔过去。拿了一颗又红又紫的桑子放在嘴里。酸甜的汁滑下喉管，我轻轻地笑了。

五　离开了队伍

第二天早晨，传来一个消息：中午长官部有三部小汽车可以送我们十六人到阜阳。同伴们都欣喜着。七天的步行，都觉得有些疲乏了，然而同时却又感到一点依恋。几天以来，我们对于士兵生活感到另一种乐趣。然而以后，我们是得脱离这样豪迈的生活了。

中午，三部小汽车开足了马力向大道上奔去，每部车子的距离有百米远近。坐在靠窗子的人都被叮嘱着留神飞机。这时车上的韩，不胜感慨地说："好了，逃出来四分之三了。"韩这几日的焦虑有目共见，我们也不胜同情。

突然前面两部车子停住了，果然，是来了敌机。人们纷纷奔下车向麦田树林间散布。阿华、大陈、冯、我和另一个男同伴奔到前面一个树林里。一个人抱着一棵树隐藏起来。远远地来了三架轰炸机，"孔"一声响，树林旁边投下一个炸弹，旁边的土屋震塌了，碎片飞到我们身边。死的恐怖侵袭了我们，下意识地匐伏在地上了。

飞机在头顶上绕了一个圈子，正要折回头去，突然，两声枪响，飞机马上掉转头来，狠狠地在树林旁边投了几枚炸弹，飞机尖锐地下降声音，竟如穿过了心一般，我感到忿恨的火在心里燃烧。

飞机远了，同伴们不约而同从地上爬起来“哦，又活了一次！”心里想，然而每个人脸上只有痛苦的笑。走到树林的旁边去看几部大卡车正在燃烧，浓黑的烟布满天空，几个司机在烟火中抢救其余的车子。我们带着沉重的心向村子里走去，没有恐惧，只有愤懑和悲痛。

这次的轰炸目标显然是几部卡车，几部卡车堆在一个树林，这是司机要负责任的。然而如果没有汉奸放信号，也不会有这回惨事。这一路，汉奸之多，实令人感到痛心。无知民众不明了抗战意义，往往为敌人所利用。动员民众，组织民众，实在是急不容缓的事。

深夜，大卡车把我们送到阜阳，城内已经没有人烟。白日阜阳遭了大轰炸，城内炸平了，如果我们中途没有耽搁，恐怕逃不掉这一遭呢。

当我们穿过城内的时候，大火还在燃烧，红了半个天空，房屋完全倒塌了，断墙破垣，瓦碎片片，炸弹竟似挨着房子丢下的。硫磺的气息洋溢着，热气窒息了呼吸。我们以匆急的步伐走着，心头愤怒得要燃烧了。

“什么，已经成了第二个台儿庄啦？”C在呼叫。

“把我们飞机开到东京去投几个炸弹！”另一个在喊。

每个人的脑袋里都铭刻了这惨痛的景象，幸而是夜里，没有看见更凄惨的——在这碎瓦破垣底下，正埋葬着多少条的生命啦。

残暴的兽性的日本军阀呵，这篇血账，我们是要报复的！

六，十，一九三八于长沙

徐州在烽火中

娄炳成

太阳沉落到了西山，黑暗的幕帏，朦住了大地，与这战争不相干的乌鸦，正在找它们的归途；唯有我们被敌机轰炸毁了住屋的一百多个同学，仍旧在奎山塔旁，抬着头呆望空中疯狂的敌机。轰轰的炸弹爆炸声，房屋倒塌声，它这时占着空中传波的唯一声浪。

城里日间受着烧夷弹燃烧的房屋，这时还在升起荧荧的火舌，照耀得半天里通红。一团团火红的炮弹，从云龙山顶上飞过来，这里充满了硫磺气。西关外时疏时密的机关枪声，送进同学的耳中，被震荡得在骚动。我们决议，举出三个代表，进城去谒我们的主任 × 总指挥，要求发枪，与鬼子们去干。主任竟兴奋得流下了泪来，可是他慢慢地说着“你们都是军训受得未成熟的学生，且慢慢离开这里罢”。

司学们走向海郑公路。城里头出来的老百姓，有的肩负着包裹行李，有的携着老抱着少，像潮般的涌向东南。一部分武装同志在掩护前进，因为紧跑着的人足马蹄，捣起了公路上层层的灰砂，大地上越显得模糊了，辨不出事物来。

霎时间轧轧的机声，几个照明弹，撕破了大地的黑暗，成一个明穴，连续的几十个炸弹，在金黄色的麦浪中翻起了黑色的烟砂。

同胞们七横八倒的躺在路两侧的沟里，我也隐避起来了。合上了眼，但耳中仍听见拍拍的机关枪声，顺着这公路的上空南移，有很多的东西，洒在我的身上。我晕去了，自己也不知曾受伤，或者是死。“喂！敌机去了，快起来走罢。”我才开了两眼一看，原来老王拉着我要走。

这时沉吟在路上受伤的，僵卧着的死者，纵横的演在我的眼前，浸在这凄惨环境中，愤恨之泪禁不止地淌下来。咬紧了牙关，离开了相处五月的徐州，立着誓，在不久的将来，定提了枪杆来恢复你的自由。

大约在午夜三点钟，出了铜山县境，到了睢宁的房村。掉转头去望徐州，敌人的烽火冲在云霄。

并没有发现敌情

“敌人的坦克车，离此地十八里的双沟，已冲过来了，截断了我们的去路。”大众意见决定南走。背上了行李，抄着曲曲折折的山道，凹凸蹊跷得十分的难走，远处传来的喔喔的鸡啼，东南方的天空变了鱼白色。行三十多里的山路，现在渐渐的平坦了。上午十点钟到了符离集，买了一块钱的红芋煮一煮熟来充饥，到南宿州的大路上大队的人涌过去，跟大队一起走比较稳当些，背了行李就开拔。

前面的队伍忽然停止了，交头接耳的从前面传递下来的命令说:“前面山头上已被敌人占领，不准讲话，不准吸烟，脚步要改轻。”这里的空气突然紧张起来。抬头望这盘据十数里的山头，黑沉沉的并没有灯光，也分不出什么来，唯有风吹树枝发出的号声。绕着山，一口气走了三十多里路程，才得有一个休息。因人太疲乏了，所以七横八倒的躺满在路上，又因为天黑，地面上的一切东西分不清楚。我看见高高的一堆，想借来作我暂时的枕头。头才搁上去，一股臭味冲进了鼻门，用手去摸摸，湿潮潮的，才知道是马粪。这时候也顾不得了，用手掩住了鼻管，仍旧睡我的觉。

过了铁路，队伍飞也似的奔路，汗是尽量地流出来，嘴里渴得眼睛冒起了火。在北方水是鲜见的，偶发现一个池塘，大家拼命去抢喝，那黄色的水，臭味直冲，但是此时比得了金银财宝还要满意。

冲敌人第一条火线

整个的夜在山地里西走着，也不知走了多少里路，天明时才出了这连亘的山冈。西边隆隆的炮声，杂在里面的机关枪声，在四面围绕高山的谷中，格外响亮，震得正在饥寒交迫下的各人，肚子里怪难受。看看同学中素称大胖子的老王，他一双眼，凹了进去，脸实是难看，好似从棺材走出来的僵尸。旁的人是不用说了，有的饿得支持不住了，拔了高粱秧放在嘴里乱嚼。

行不到十里到了磁村，炮打得更猛了。西南山顶上敌人打过来的炮弹在磁村旁的荒山上炸开，冒起阵阵的白烟。队伍翻过了这高一千公尺以上的山头，却又翻过四个大山顶。天中时太阳强烈的光，蒸干了身上的汗。山地中又找不到水喝，有几个本来有病的，就晕倒在山谷中。空中一架敌机，无拘无束的任他放浪，它高兴时掷几个手榴弹，扫射一阵机关枪。

出磁村，仅离敌人三二里地。×× 师正在配备先头部队与在后面掩护的队伍，叫老百姓与徒手的军人在中间。命令一下，我们山顶上预置着的机关枪，拍拍的响了起来，排着队伍整整齐齐的冲过去，背不动的行李抛得到处都可以见到。

行进速度非常的快，没有多大一会，已下去了十几里。渡过一条浅河，前面的已经在休息。听见讲第一线已经冲过，我们还没有站定脚，离不远的南边麦田里，响起了步枪声，夹杂着机关枪声，正向我们射来。这里因为没有守险的地方，退过去守住了河堤，架起了机关枪，等待敌人，但是敌人没有来。

师长的话

天中的日光，似炭火般的照着；定着的枝头，告诉人说这时候连风都没有，热得脑子里发昏。一排大榆树底下，坐着几百个难胞，立在那里讲话的 ×× 师师长 × 将军。他是一个高高的身材，脸上满长着胡子，一双有神的眼睛，又配上那宏亮的喉咙。他说："军人守土卫民本为天职。徐州处于四面楚歌声中，为要减少牺牲，所以保护着民众退出徐州。现在本师的任务是送你们到安全地去，我愿保证你们生命的安全。但是退却比进攻还要艰难，望你们态度绝对保持着镇静，遇有前哨接战的时候更不应慌乱，才可以安然地到新阵地。"

坦克车冲散了队伍

绕道躲过了正面的敌人，从山道里穿出去，没有发现敌情。爬过了离永城约四十里的山冈，队伍在山麓下休息。日没了，天空中耀着一条条美丽的晚霞，微风拂来，泄去了不少的暑气，精神也振起了一半，但是肚子里终是饿的。

集合的哨子在一个旅长的口中吹着，队伍仍旧排得整整齐齐的继续前进。× 师早派了警戒部队一路上搜索前进，几声步枪突从东方射来，注目去看，隐约有七八百个敌人，排着横队冲过来，坐在马上的师长提高了喉咙，发命令："步枪打几枪没有关系，不要理他向前走。"队伍保持着原有队形，整齐静肃地向前，结果敌人没有接近来。

越过了萧县到永城的汽车道，死尸的臭味冲进了鼻管，心里在作恶。路南一带的民房墙壁上挖着无数枪眼，大概这里也是敌军残暴的屠杀场吧！队伍的步伐一步紧一步的，东西射来数条锐利的光，很快移过来，渐渐听到了轧轧的马达声，忽然南面北面也同样的发现了。

× × 旅长，郑重地下着命令："不要放枪，谁放枪是'孬种'！拿起手榴弹上起刺刀，准备冲锋。"

三面抄上来的坦克车逼近了，淫威的灯光，迷住了眼睛，从车上打过来的炮弹，在附近爆发。车上面的鬼子，叽哩咕噜的不知道说了些什么。队伍只管朝着西南急奔。穿过树林，爬过干河，每个人的汗快要流得干了，嘴里的唾沫变成了胶质。路上翻起来的灰砂，飞入了口中，喉咙里痒得说不出话来，顺手抓些树叶来吃吃，比较好些。连跌了十多跤的我，走伤了脚。包先生浑身软得再也不能走了，在一棵大树底下躺了下来。眼看队伍像潮水般的过去了。坦克车的光照在我们的身上，隆的一声，一个炮弹在我的右边炸开。我拿了些已割掉的麦杆盖在身上，对包先生说："我们在这睡吧！睡着了死，就不知道痛苦了。"这话并不是消极地等死，因为身体实在没有抵抗的余力了。

忽然得得的脚步声，像穿的皮鞋，难道是鬼子的搜索吗？闪开一眼望过去，喔，原来是一头失了主的骡子，害得我吃了一惊。

娘儿们在战栗

清晨的凉意，推醒了我们两个，身上颤动得非常厉害。四面是敌人。究竟走那一路好呢？偶听得南边的葡萄架下一声微咳，我就走了过去，身子亦探进了葡萄架，才知道是一个女的怀里抱着一个孩子，大概昨晚也睡在这里吧，那边几棵叶子茂盛得能掩没全身的葡萄架内爬出来了十多个中年的娘儿们，慌慌张张四散奔跑。

“喂！老大娘，这里是什么地方？”我连续的问了几声，她总不作声。她瞧了我一眼，她浑身在战栗，牵动得小小葡萄树，也在摇摆。她断断续续说：“我怕！我的妹妹已经被你们……你是那村子上的日本兵？”她话中止了，抱起了小孩出了小树，不回头地向南奔跑。

换了制服丢了证书

破草棚的大门口坐着两个老头儿，他立了起来招呼我们：“老总辛苦了，进来歇歇罢！”

“谢谢你！”

“你身上穿的黄制服，很多的地方不方便，老百姓见了，当你日本兵吓得乱跑，而且东面的村子里都有日本兵，把制服换了吧，向西南走不要走西北，西北是永城！”

我想这老头儿话很对，但是我终不舍抛弃最后的一身制服，和一张学校的毕业证书，反转来一想，敌人能夺我身外的东西，不能夺我身内抗敌的决心，抛了罢。

老头儿拿出两碗小米稀饭来给我们喝，因为我钱多遗失了，只得谢了一声，老着面皮的走了。这里是江苏萧县地界，田中满栽着桃李果树，近住房的地方皆高搭着葡萄架，房屋虽然大多是草棚，却收拾得很整齐，若然没有敌军来骚扰的话，这一带的居民，好似世外桃源的人，生活是很舒适的。

太阳又转到正中，肚子又饿了；只能够硬着头皮向人家要一点来充饥，幸亏又走了二十多里，到黄村遇见了自己的队伍。

到了新阵地

大家在计议着，只要避开西南七十里的黄口附近的一线敌人，就可展移到新阵地，× 师的先头冲锋部队已经出发。一个 × 师的兵士，他拉了黄村里老百姓的一头驴子，又拿了一些别的东西，结果是被 ×× 旅长枪毙了。

暮色笼罩了大地，队伍加紧了脚步，越过了一条汽车路右边的山头，一盏亮得奇特的灯，间断的枪声在山上面射过来，交头接耳的又传下来了命令：“这山上发现敌人，不要理他，脚步轻一点，向前走！”

绕过了这山是一片平原，乌黑的夜中，两面黑沉沉的隐约是村庄。里面射起忽熄忽灭的电光上下起落着，狗吠的声音很厉害，队伍在跑步了，曲折蹊跷的路上不停腿地跑，足足有二三个钟点。听说已过了砀山，才到了一个森林里休息。黑暗中间，手在树上乱摸，找到了几个果子，暂时来解一解渴。

队伍继续前进了。一口气要跑六七十里的强行军。我的二条腿不能移动了，手拉着包先生。在离夏邑县的河桥集我军新阵地三里的村子上休息，身躺在新收的麦杆上将入梦时，步枪已响了，老百姓极度惊慌来叫我们：“老总，后面日本兵追来了，快走罢！”

我们慢慢的走进了河桥集，见着许多精神抖擞的新战士，刚才的枪声，到这里才知道是土匪抢散兵的。

在敌人后方

郭镜人

凶猛的寇军在五月十二号把陇海路截断，但这并不是说整个第五战区的一切都葬送了，台儿庄的阵地一点亦没有动摇，徐州的防务还在巩固着。中央为保存实力避免不必要的损失，乃有全部撤退的命令。由台儿庄撤退的队伍在大庙——小陇海集合数十万大军秩序井然地向指定地点出发。都在兴奋地歌唱着，我因为不明了军事计划的内容，跟随着的是掩护部队。前面的大军都安然冲出敌围到达指定地点，掩护部队时时遭受敌人的包围、袭击，但是我们的队伍是整齐的，紧密的，冲散了，又集合了。敌骑与坦克车时时在追击，有一次被包围在徐州东南的陈家庄，士兵们都摩拳擦掌的准备攻击，结果午夜里果然给敌人一个出其不意的反攻，冲开了重围向前开拔。

整齐的队伍都安然到指定地点了。剩下一些杂牌的没有武器的少数士兵无法向敌人冲锋了，遂决定更换便衣离开敌围，这时我是绕路突围。路线从徐州东南向北行至临城东南折向西，经微山湖在苏属沛县、丰县及鲁属单县、曹县的南部通过，再折向西南过民权直奔郑州，共步行二十三天，于六月四日到达郑州，在敌人占领区域约行八日，在火线里走了十三天。

我这里特别报告的是在敌人占领区域看到的情形：

敌人后方空虚——敌人在每个县城里最多不过驻扎日寇军二百人，乡村里除了交通错杂、给养贮藏的大镇集外，是看不到敌军的。寇军驻扎的地方是不许老百姓存在的，在附近的三四里以内便已经看不到中国老百姓的行踪了。交通线上不时有汽车来往，数十辆汽车是用铁链结在一起的，末了有一辆保护车。据老百姓告诉我们：车子里并没有几个人，大部分是橡皮人，今天穿黄的，明天穿绿的或是黑的，窜来窜去，故意煽惑群众，虚张声势！

敌人如何残杀民众——在山东的临城沙沟附近，

强拉民夫，用汽车运往徐州做工，壮年者载往济南一带训练充军，该地老百姓已逃避一空。在苏省沛县、丰县一带，寇军每到一乡，辄解为裸体，令妇女为他洗衣。中国妇女的旧道德，那堪这些无廉的兽行，所以遭受枪杀者甚多。砀山县北的周寨，五月初去了七个寇军任意奸淫，该乡民众忍无可忍，乃群起杀贼！用菜刀土枪，砍死两个，其余都狼狈而逃了。但是寇军后来的部队到达了，看见那种情况，老羞成怒，遂大肆杀戮！男女老幼，不得幸免！遭难者达二百七十余人。又周县唐寨有一家姓唐的大地主，为当地最富有者！家中四十八人仅一人先逃，得免于死！

还有一件值得报告的事，在鲁省单县东南沙河岸郝楼附近，寇军埋设地雷，意图杀害我撤退之国军，后来被一群山羊给踏乱了引线，结果我们的军队丝毫没有蒙受损失，反而炸死寇军一百二十余人！敌人恼怒之余，遂到处搜索山羊，每一羊头要两个人头，老百姓急了，把所有的羊都给宰割了，我曾经看见一个人用一元钱买了三十多只羊。

又寇军现正向民众征收麦粮，农民每收一石必被征去八斗，鸡和鸡蛋那就不必提了。

民众的实际情况——徐州东南一带有些老百姓够可恨的，一个军人换了便衣简直不能行走，当地坏人冒充游击队检查行人，钱财什物掠夺一空。鲁境及其他地方的老百姓可好极了，老百姓看到了我们还是亲热的招呼着，都在说中国人还是同中国人亲！岂能同东洋鬼子亲吗？他们给我们吃饼，喝茶，并且替我们找住处；在鲁省单县东南六十里的朱集，我生了病，该集一位姓×的——曾服务东北军×部重炮连事务长，留我在他家里休息了一天，并且延医疗治，这不能说不是中国同胞亲爱的表现！

他们都问我们徐州情形如何，并且关心整个的大局。我详细给他们解释、分析，并且告诉他们如何对付残暴的敌人。

一九三八，六，九，汉口

由徐突围

林素圆

徐州战守百艰难，刁斗声敲星斗寒，
戎马书生无落伍，突围应作殿军看。
日饥夜走苦支撑，生死能忘体自轻，
偷渡淝河唯认影，欲呼同伴恐惊兵。
藩篱尽破恨东风，浩气常如贯日虹，
衮衮诸公休醉梦，掀髯疾喊复淮东。

离徐记

高　公

新闻界服务的朋友们，感觉是特别灵敏些。五月九日蒙城失陷的那天晚上，我同长江兄在闲谈里，曾计议到我们的工作和行动的问题。但是在我们晤及李德邻先生的时候，李先生还照常的镇静，还是那样安闲的和我们谈天。他在讲完战局后，还大谈冒病治疗法及战时新闻政策。因为他的态度如此镇静，如此安闲，更使我们对于战局前途加强了若干的自信心。

但是，不利的消息，一天天的增加，我们的自信心又有点动摇了。今天刚接到鲁南敌主力移鲁西，而代以伪军的报告，明天又接到敌军到达永城的消息，更离奇的是蒙城的收复，经我们多方证明，情形相当的坏。于是我们先劝不必要在徐州的友人们离开，犯不着在那里死守。同时我和长江兄计议，徐州已成了前线的一个据点，战局的整个关键转移到归德了，且系豫东的门户，从新闻观点上说，写篇《徐州退出记》，还不如在归德观察全局重要些，于是决定我先去归德布置一切。

十四日自早到晚，徐州城天空布满了敌机，炸弹声震得耳聋，市中心区的火光交织成一片。我同了在徐州的记者团——包括全国各报和南洋新加坡的战地记者十二人——打算随同关麟征先生的专车西发。当临去车站前的一刹那，忽然接到报告，李庄发现敌迹，火车不通，可是我们还是准备去，打算到达黄口附近，转道西行，同时已准备和某军部及特务连工兵连徒步行军。

由郝寨至郝集

十四日晚十二时后，那天刚巧是废历四月十五日，幽美的月光笼罩了整个的霸王故都——铜山，城内的火光还熊熊的燃着，我们这一群和 × 军部一部职员坐一辆大卡车出发。时局虽然紧张到极点，在我们经过的路上，看不出一点紊乱的情况。

途中除了汽车过后，野犬追吠数声外，听不出别的声音。徐州四周的小山，一个个从我们车旁掠过。仰望头上的明月，忆起当年西楚霸王的雄风，仅仅八千子弟兵，尚能驰骋宇内，难道现在我们有千万的热血健儿，还不能逐倭寇出海，东海重镇的徐州，难道就这样轻易的放弃了？读程正伯先生的《酷相思》词，“欲住也留无计，欲去也来无计”，此时心情，真有些“无计”了。

车行一小时，抵徐西二十里之大河寨。数栋土屋，残破不堪。因为汽车要回徐州，我们于是在此下车休息。屋主为我们铺了几张竹席，聊作床褥，我同守愚兄共裹一毡而睡。虽然是四月天气，还是凉意袭人，好在疲劳已极，倒下就一梦大天光。

次晨醒来，徒步前进，大家所携服装，都特别简单。有几位听说要徒步，把所有的行李，都弃在徐州了，虽然晚上无被，走路倒真爽。

北方乡村，比较江南贫瘠得多，镇上除了卖鸡蛋和稀饭的外，别的什么也买不出，此时有吃就行，粗细都将就了。

同业新加坡《星中日报》战地记者黄薇女士坐车走

了。关部的参谋处长，政训处长和我们一路，好在还有特务连，武装齐整，就有什么问题，全可应付有余的。

正午走到郝寨，休息午餐，准备下午起程。因为车站有客车数列，跑去看看，除了一列卫生列车外，还有一列客车，都因为铁路阻断，不能西进。政治部抗敌剧团也搭该车由徐州西返，无法前进，交谈之下，决与我们同走。因为他们带的东西太多，只好忍痛抛弃，便宜一般难民，争相拾取，口里还说："真好东西，这辈子还没见过。"其实那些东西，已很没有什么好了。汤军团的战地服务团高且、文毓秋两位小姐，也在那里遇见，参加我们一起，大家不寂寞。

由郝寨西行，随时有与敌军遭遇可能，于是我们把队伍从新挑过，由特务连担任前哨，我们这群杂牌便衣队走中间，工兵连殿后，浩浩荡荡的前进。

关先生恐怕我们这群书生徒步辛苦，特为我们备宁夏名马数头代步，于是我们更热闹了，我策马追你，你拍马赶我，好像忘记前途的危机似的。

三十里到杨楼车站，亦有列车在那里等路轨修复西进，我们没停留，再北行三里抵郝集，那里是今晚我们的宿营地。

初次接触

在郝集，从车站司令那里得来的消息，敌军占永城后，大部西北行，与由鱼台南趋的土肥原部会合于李庄车站，续沿陇海铁路东进。南来者人数不甚多，北来的大概有三千以上，附属的机动性部队很不少。十五日早我们有一列卫生车，满载伤兵和难民去黄口，刚开进扬旗地方，敌军的炮兵就向列车轰击，同时敌战车适亦开到，用机枪扫射，卫生列车马上退回郝寨，幸无死伤。

我们探明了当时的情况，认定敌人仍在积极东进。因为我们这支人马力量有限，而且没有奉到命令阻敌前进，当时仍决定继续北行，越过铁道，脱离敌军前进线，向黄口、李庄西北迂回到砀山。虽然有人以为这计划过于冒险，主张退回徐州再说，但是我们仍然这样肯定的决定了。

黄维纲先生所部 × 师与关部平时没有任何接触，但是基于国家第一，抗战第一的原则下，热情的联合起来。黄师弹药缺乏，关部慨允借与若干，使黄师的力量立刻充实起来，不但如此，而且关部表示绝对地受黄先生指挥，担当任何的任务。这些现象，表示出我们国军的伟大进步。

上午敌机甚为活跃，我们决定下午三时开始行动，由郝集向西北方面前进，到达老黄河后，再沿黄河故道西北行，向唐寨西北迂回。记者团和抗敌剧团的友人们都在寨外麦田里睡觉，有的三个一起五个一堆的谈天。派出去的警戒哨不时传递情报回来。杨楼车站离郝集只三里，隐约间看见难民群不断的骚动。炮声在我们的西边不住的响，越来越近，有几辆我军的载重汽车由西向东直驶而去，大概是被敌人阻挡回来的。到了下午一时左右，约略的步枪声也可听见了。手无寸铁的我们，立即集中寨里广场，准备必要的行动，辎重队士兵纷纷的套上骡马，紧张的空气，激动了每一个人的心弦。

二时后，十里外的哨兵报告，敌骑兵向郝集前进，人数不明，同时炮声更紧，虽然只是战车上装备的小炮，威力也相当大。《新蜀报》的记者石宝瑚、郑州《大刚报》的赵海深、开封《民国日报》的乔冠生三君，认为继续西行太冒险，立即返回徐州，另谋出路。寨内的居民，不少自动擎枪上土城守卫。黄将军马上下令，队伍出北门，分成数个纵队北进，在老河口集中待命。

北门只能容纳一辆大车进出，人数过多，行动比较困难。街道上尘土厚约五六寸，大队通过后，尘土扬起很高，对面简直看不见人。还好，虽然危机一发，大家都能够保守秩序。每一个单位的领导者都能恪尽职守，抗敌剧团的小姐们，有几位比较胆小，在这样情形之下，让她们个人跑路，真有些不可能，于是两位男团员搀一位女士，行列整齐的前进。

半小时后，密密的枪声在郝集里发出，除掉一部骑兵奉令作掩护射击外，英勇的村民，他们虽不是正规的战斗兵，但他们不甘不流血而使祖国土地沦亡，他们擎起土造的枪，来捍卫祖国。我们恨未能与他们共同行动，回头望着郝集，对他们表示深切的钦敬。

北行八里，到达老黄河口，进入黄河故道，百年前铜瓦厢未决口时，黄河经行的故道，现在是一片麦田，但隐约的还看出一些轮廓。

虽然敌人进占郝寨和杨楼车站，距这一带不过十多里，老百姓们还是依然的劳作着，不过壮丁们有些执着红缨枪在守卫了。

整齐的行列

天色慢慢地暗下来，好像有雨的样子。记者团和抗敌剧团的朋友们，都集中在黄河故道的沙堆上，和部队失掉联络，大家都彷徨起来了；二十军的参谋处长周希濂先生领导着抗敌剧团，在讨论行动办法。我觉得在当时情况之下，不找队伍，就凭我们这几个徒手，想出重围，绝对不可能，同时，胡守愚兄在途中又和我们失散了，同人们都很焦灼的盼望和他会合。

一片乡村，静肃得一点声音都没有，看不出一个人影。十分钟前甚为活跃的部队都不知到那里去了，最后才发现东面隐约有些骡马，认定那里一定有部队。于是我主张两个团体的朋友，都到那里去。结果，抗敌剧团坚决主张沿黄河故道西行，与大队会合。于是记者团只好单独东行，和抗敌剧团分别了。那知道从那天以后，一直没得到他们的消息，他们的安全如何，真成问题了。

东行二里许，果遇到我们的部队，他们已在派人四处联络记者团，见面后，大家都非常高兴。

于是继续西行十里，抵张集。蒙蒙细雨中，进入民居休息。气候因为下雨的缘故，身上觉得有些寒意。我除了穿一件军衣外，另无他物，花了一元钱，向农民买了一件小棉袄，虽然脏得一塌糊涂，总比没有好得多。

张集和郝集的距离，不过十五里，为避免敌人的搜索，决定晚上九时前进。黄将军在傍晚召集了一个会议，指示前进方略。一间土屋，拥挤着各级官长，桌上点一支鱼烛，黄将军不厌其详的指示，因为有我们这些徒手兵问题比较严重些，经过一番讨论，决定了种种步骤。

全镇的空地上，满满的集中了所有的人们和许多马匹，黑压压的没有一些火光可以发现，连香烟都绝对不许吸。

九点刚过，大队蠕蠕的前进，经过差不多一小时之久，才比较地疏通了。

骑兵队担任先锋，继之以武装的步兵，然后是我们记者团和官佐们，另一队骑兵在骡马队后担任掩护。大队前进，秩序井然，行列的整齐，出乎我们意料之外。

虽然知道须前进八十里，才能到达敌人封锁线，然而每一个都抱着紧张心情，来完成这八十里的长途行军。

骑哨在行列两旁，不断的梭巡着，大队沿黄河故道，迂迴曲折，浩浩荡荡的疾走，步履走在沙土上，听不出一些声息。我们团内，除了文小姐骑马外，每一个人手拉手的走，都怕万一失掉联络。患难之中，才深深感到友谊的重要。

半夜里，细雨不停，寒风更劲，衣单的友人，都咬紧牙，挺着胸，随着行列走，没有一个发出弱者的呼声。

十七日早六时到达张集东八里地方，张集西方一千米远处，就是敌人的封锁线。

突击

本来打算在高宅旁边住下来，观察形势。刚进村庄，得到报告，说敌人在高宅两边的力量是不大，人数不多。我们不能放过这个机会，决定乘敌大队未到以前，冲出去。黄将军骑在马上，下令展开，立即前进，动作迅速，在二三分钟内，立刻变成密集队，跑步前进了。

这一片地方，周围四五里宽全是黄沙，寸草不生。部队毫无掩蔽的运动，适在此时，空中轧轧的机声响动了，一架敌人侦察机穿过，向我们飞来。部队毫不理会，仍然做它应做的工作。敌机侦察数周后，急急向南飞去了。十分钟后，我们的军队进占高宅。我随着黄将军骑一匹骏马，加上两鞭，也跟进了高宅。

三五十户的村庄，这时拥挤着人群。村四周，都被哨兵严密的监视着。村民看见我们，都围拢来，直觉地，自动地，告诉我们那里有敌人，那里有战车，四周的道路如何，路程的远近，一方面为我们烧水煮茶。虽然那村里已经没有剩下多余的食粮，但仍尽可能的为我们设法。

这些村民热情的帮助，感动得我们下泪。第一期抗战中，各方面都说民众组织不够，军民未能密切的合作，就我们这次所看见的，我们认为实在有长足的进步。但是我们都认为这不是政府或什么动员委员会工作的成绩，而是民众们自觉的热情的醒悟，国家观念随着战争而深深印入他们的脑中。最要紧的是敌军在各处的暴行——奸淫屠杀，使他们感觉到有国家的必要，知道生活在敌人铁蹄之下的痛苦，所以自动地起来协助军队工作了。

为了民众热烈的协助，我们对敌情相当的明了。经过一番讨论之后，黄将军派了一连人向敌军突击，兵士们愉快的掮着枪南进。我站在村外，目送他们出发，要求有一支枪随他们前进，但被他们坚决地阻止。一位排长说：“我们吃国家的粮，这是我们的责任。”

部队前进不过一千五百米，枪声响了，接触开始了。敌军仓皇应战，刚接触就有数个敌兵没有声息。霎时，战车四辆爬出来，但它不敢冲来，只是躲在密林里射击。敌军毫不顾惜子弹的浪费，乱七八糟的放，我们的士兵则不然，不发现目标，绝不放一枪，因此不放则已，一放必中，十分钟后，敌人伤亡了二十几个。

敌军更慌乱了，恐怕我们的大部队冲上去，立即，一个椭圆形的气球，很迅速的升上天空。我们知道敌人要使用炮兵，因为我们突击的目的，在试探敌军的力量。结果知道他的力量并不大，于是黄将军下令部队向北移动，暂时退出敌炮射程以外，等到晚间施行大规模突围，准备一战成功。

第一线的部队，还在和敌人相持，以便掩护我们退走。记者团同人先行出发，大家的心情，都到达了最高度的紧张。紫瑜兄搀着文毓秋小姐同走，她虽然处在那危险的境地，态度还是那样的坚决，但是仍觉得有些不自然，说话的声音也有点颤动。她说：“给我一支枪罢，让我打死一个鬼子后，就是死了我亦愿意，我不愿意无声无息的死呀！”同伴都为她这几句话感动了，互相的看了几眼，默默无言的前进。

在麦田里休息的时候，有几个同伴有些忧愁，都觉得距离死亡的大道不远，生存与否，几小时后就可决定。文小姐为了解消大家的忧虑起见，她为我们唱了一支《快乐的人们》，清脆的歌声，使忧愁的人们展开微笑。

兵不厌诈

高宅东北三十里，就是丰县。十七日早，我们到达的时候，那边的炮声隆隆的传来，敌人进攻激烈，情形如何变化，我们不知道。设若恶劣的话，丰县的敌人很可能和南方窜来的敌人联成一片，那我们就一辈子不想突出了。

黄将军为了应付这艰苦的环境，他使用“兵不厌诈”的原则。在一个小规模的突击之后，乘敌人轻气球升起之时，立即将部队向北撤退，让敌人认为我们是向丰县增援，不以为我们是要突围和袭击。然后在下午又将部队移动到高宅东南十里的杨家楼集。这一来，更使敌人莫明其妙，若是增援丰县，为什么又向东南方向走。虽然天空有两个轻气球在观察，因我军的行动迅速，它失掉了目标，更不能发现我们这一纵队的十分之九是徒手。我军的企图，敌不能判明，使它不敢采取积极的动作，这于我们当晚的突围，发生莫大的帮助。

我军二次撤到杨家楼的时候，记者团还有文小姐，和部队又失联络。我们为了找寻食物，在老百姓家里煮高粱饼。买来的高粱，不够分配，紫瑜和文小姐自告奋勇的到前村设法，我们只得将那仅余的高粱充饥。

饭后，紫瑜他们两人仍不见来。我们以为他俩回部队去了，立即出来，回到原来的住处。但是，那里不要说是兵，连老百姓都没有了，回望田野，静寂得毫无声息。这一来，可把我们吓坏了，因为太接近敌人，随时都有发生危险的可能。

邻近十几个村庄，我们都走遍了，又因为方向错误，我们竟向敌军走去，幸经发现后更正，但已经吃惊不小。

绕来绕去，天快黑下来，于是我们决定向东走，沿途探询，并在一片地上，发现许多足印和马蹄印，知道曾经有部队东行，证明我们的路没有走错。

这时敌人的便衣队出现，一路上我们遇见了几个，穿着老百姓的衣服，小棉袄里面缚着子弹带，腰上悬着手枪，来往梭巡着。我们这群人，不用说手枪，连一根棍子都没有。我们装着镇静，右手紧紧地插在口袋里，表示我们有武器，同时绝对的和他走相反的路线。便衣队虽虎视眈眈的望着我们，但他只有一个人，我们有八个人，只好眼送着我们扬长而去。

经一个农妇的指示，知道我们的队伍进入杨家楼。我们遵照那无名农妇所说的道路，继续前进。一片三里宽的沙滩，对岸是浓密森林围绕着的杨家楼，沙滩上一骑飞来，正是黄将军派来寻我们的副官。

回到部队，遍寻紫瑜和文小姐不见。部队在黄昏就要出动突围，这一失掉联络，真是凶多吉少，大家都眼巴巴的望他俩赶快回来，但是直到我们出发还无消息。

敌前强行军

黄昏将近，两个轻气球还系留在天空，号兵发出集合的号声，部队纷纷的集合。为了减轻负担，尽可能地把行李抛弃。我们的一部行装，都交给骡马队。俾行动方便，除了陆诒、剑心两兄，因足受伤乘马外，我们几人全是徒步。

部队仍是一个纵长的队形，行列更较整齐些，步行的四人一行，骑兵是二人一行。马匹的嘴，都用布包上，避免它嘶叫。重申命令，禁止任何发火吸烟及使用电筒。

纵队浩浩荡荡的向西北方行进。刚走二里许，左右前后发现十几处火光和灯光，部队立即停止。探哨报告，在前方发现敌战车三辆和百余步兵。一个探哨几乎被生擒，幸他机警，逃回报告。

突然，左右两方同时发出两道探照灯光，幸距离较远，没有照出我们。黄将军命令部队抱定必死的决心和坚决的意志，不顾一切的冲上去，但在任何情况之下，不许轻易放枪，设若敌先射击，全体立即卧倒，俟相当时期，才迎头予敌痛击，并令全军为各种必要的措置。

丰县方面的炮声，越来越近，连机关枪声已可清晰的听到。我们知道丰县的命运已经决定了。我们实在有立即行动的必要。

向导熟悉地领导队伍前进，避免大道和小路，在麦田中穿来绕去，绝不靠村庄。敌哨和纵队相距不过一千米或六七百米，但见我大部经过时，皆向后逃走。我们还是不理会，继续前进。

探照灯还是闪烁地照着，月色被黑云全遮没了。四辆敌人的战车，轧轧的在我们左方由东向西，但发现我们的大军时，忽然停下来，并且车上的灯光也熄灭了。我们以为接触就要开始，马上把部队停止前进，大家都感到最后的呼吸就在顷刻间。可是我们候了几分钟，敌人毫无动静还不开枪，我们等得有点不耐烦，只好对不住，先走了。

沿途我们全体跑步，两小时后，突过敌前方指挥所在的周寨、总司令部所在的宋楼，越过鱼台至砀山的公路，复进入黄河故道广大的沙滩；一枪未放，压制着敌人不敢有任何动作，虽然遇着八次以上的敌战车队（每队三辆至五辆），都停在远远地熄灯避开。

一百二十里的长途，费了五小时的时间，轻轻的被这路大军穿过了，自始至终，大军还是保持整齐的行列。全军数千人虽然累，但没休息一分钟；虽然渴，但没喝一滴水，为了自己的生存，仍是精神焕发。

又三十里的黄河故道行军，十八日清晨一时半进入虞城县境，大家始得喘息的机会。庞林集边的水井，围着二三百人，汲水解渴。我候了半小时，才抢到三碗泥汤，入口咸酸之至，但已琼浆玉液了。

全师而还

到达虞城，大军安全地突破敌人广大的封锁线。检点人马，只有一个政治工作人员，因身体较弱，未及赶上大队，被敌军发现枪杀外，只有九个士兵因口渴而死，全军未折一矢未伤一卒的全师而还。

这不但保全了我们的力量，同时还给敌人以最大的打击。就是说，中国的陆军，现在有组织了，有训练了，虽临最大的困难，都抱有至高无上的牺牲决心；虽在敌军重重包围之下，仍然是丝毫不乱，行列整齐的向着目的地前进。

单从这一点来说，徐州会战，我们已获得绝对的胜利。敌人虽采用适当的战略，但我们仍巧妙的避开了，主力军全师而还，毫无损失。

到了虞城，才发现紫瑜和文小姐他俩和我们失散后，想到丰县，走到半路，知道丰县失守，于是又折回来，得到乡民的指示，抄小路突出重围。

虞城，可说是我们祖先的发祥之地，县区的商君墓（尧之子）和仓颉之墓，都在证明我们的祖先在千年以前，就在这一带区域艰苦地奋斗，我们这群子孙们更应当如何努力来保卫我们祖先千辛万苦开辟出来的田园。

在虞城休息一天，转到归德。这豫东门户的归德，因了敌机的狂炸，市区里的人，都撤退了，剩下来的仅是雄伟的城垣，和碧绿的柳树。

故人无恙

记者团的友人们，在归德休息后，各自东西，华侨记者团和蔡学余兄转往宁陵，紫瑜和文小姐留在那里工作，剩下我和剑心、陆诒三人仍继续西进转往许昌。

途中四日，经过太康到扶沟，黄将军因为我们要急于回汉，找了一部汽车送我们，费了三小时的时间，开进许昌城。

这条路线，完全是中原区域，一片原野，满布着金黄色的麦田。这一个农家，几乎是全体动员，不管是老妇和小女，均在田里工作，男女小孩们，一手提竹篓，在田里拾剩下的麦子，偶然有一两句山歌传进我们的车箱。

河南地方因了连年的灾荒，比较贫瘠些，更因为十年的雨量太少，井里的水又不够灌溉，所以今年的麦子不大好，但是还可收七八成，这使老百姓皆大欢喜。

在许昌竟出乎意料的遇着毓昌兄，他从考城回来，途中大受辛苦，幸平安无事。

次晨登车南来，过了漯河，竟在车上发现希夫及华侨记者团的友人们，大家高兴得跳起来，互相说着“故人无恙”。

一路无事，当晚回到汉口。

（五月三十日）

“我不愿意做亡国奴”

塔斯社战地记者　谷礼宾斯基

关于徐州和中国军队英勇的战绩，无疑的将会写成许多书。中国军队经过九个月顽强的抗战之后，因为战略上的关系，从徐州撤退了。这期间，在济宁，淮河北岸，临沂及台儿庄曾给日本“皇军”很大的打击。这些战绩将在中华民族争取独立解放的历史上，占很重要的一页。现在很难集中思想，来写一篇关于这些的文章；所经历的过于新鲜了！不过离徐州时，在我所有的印象和感觉中，有一幅最深刻的图画呈在眼前。

离徐州前的一个月，我们在山东省南部的一个地方走着，这里几天前还有过战事；但是现在，人民过着像常时一样的生活。就在中国军队打退日本的第二天，这些地方的居民都回来了。他们之中有许多回到家乡只找到些瓦砾和灰烬。在中国军队勇猛威胁下，日军被迫着向北溃退。他们沿途抢夺杀害，无所不为，把老百姓们的十年来在困难中积存下来的一点东西，全都毁坏了；在灰烬和瓦砾中，洋溢着日军由北沿津浦路攻徐州计划失败的恼怒。

台儿庄西北十五公里的一个小村中，居民都回来了。他们请我们喝茶，一边谈着话。年约四五十岁的女人述说着他们到山里避日军的情形："在山里住着可真不容易，没有东西吃。回来，房屋都烧净啦！可是咱情愿住破瓦堆里，也不愿做日本的亡国奴！"一个没有受过教育的中国女人，所说的这几句简单的话，表露着应当为祖国而活为祖国而奋斗的意志。

"我不愿意做亡国奴！"——中国人民正在生长中的抗战力量就在这里！

从火网下逃出来

王哲民

这真是一个了不起的大时代，由人类毒菌的法西斯造成的腥血恐怖，已经弥漫了整个的世界。我们每一个人，虽说渺小得如沧海一粟，亦绝难逃出这种恐怖的毒氛而获得一片安全的地带。个人如此，民族国家也更是这样。弱小的中华民族，是已被迫入腥血的漩涡了，不抵抗必不得生存，抵抗尚有生存的希望，我们抱着这种信念，起来做英勇的民族革命抗战。这是黄帝的子孙所应负的保卫人类文明的使命！

第一期抗战的宝贵教训，奠下第二期抗战的胜利基础。徐州一城，在时间上敌人攻了五个月，在实力上敌人牺牲了两个精锐的师团。现在我们虽然撤退徐州，敌人仍是一无所得，它所得的胜利，只是轰炸残杀徐州的民房和非战斗员的无辜民众。

在五月十日以后，敌人的飞机轰炸徐州的次数和投弹的数目，是日益增多。交通机关、军政机关、银行学校、商店民房，都相继的毁在曾经轰杀过东非洲及玛德里的巨型机之下。

十五日午后紧张的情势一刻一刻的紧迫，隆隆的炮声，已震撼了徐州的城市，所有的民众，也都纷纷的逃出。我的妻蕴良，弟弟君励和我抱定决心，在敌人的铁蹄没有踏到徐州最后一道防线时决不离开徐州。直到十六日午前三时，紧迫的空气真是间不容发了。经父母的苦劝，我们才洒泪和双亲弱子，及艰苦共尝的朋友相别。这时东南、西南，和正西的枪声已经密如连珠，只有西北一条通路。于是我们在黑暗中摸索向西北方面走，到达离城三十里的夹河寨时，敌人的坦克车已像猛兽般的冲来，侥幸被阻在壕沟两岸。这时天已黎明，我军凭着夹河寨的圩堤抵抗，一时双方炮火密如雨下，上空更有敌机盘旋助战，我们被夹在左右和上空三面弹雨之下，生命的危险真在呼吸之间了！当急各伏在麦田的五个坟墓旁。约二十分钟敌机空去，我便弯着腰匍匐驼行四五里。这时我的蕴良和弟弟的踪影已经不见了！我高呼，我怅望，我哀号祈祷他们能追着我的逃路来到我的面前，但是终归如清风过顶，海燕掠空的不见他们到来。是生是死？是前是后？直到现在仍在彼此不知之中，天呀！城未失而家先毁，国未亡而骨肉先散，人生惨剧，宁有甚如此者？

我随着失去战斗力的零散军队和难民，像潮水般地向西北流滚。当晚到了梁寨，遇见西安来徐的押车邮务人员数人，正计划西冲的办法。此处离徐州百里，所以情势比较和缓的多了。不料正在我们准备动身突围的时候，忽闻到河南去的通路已完全被敌人封锁了。因此大家又踌躇起来，有的要向北绕，有的要留在这里等着好的消息。我以为徐州已成一死城，没有坚守的必要，一旦我军撤退，我们不是更陷到没有生路吗？还是在此混战敌人不暇西来的时候，冒险突出。于是同邮务人员数人于当夜九时冒险西冲，我们所走的途径，既不敢走道路，也不敢行近村庄，而是踏着荒野的田畦，向前摸索进行，这时的恐怖心情，真是如同置身于深渊薄冰之上了。

行近丰砀公路的时候，突见前面幌动几个黑影，向我们作扇面形围来，一时躲避不及，已把我们包围起来了！当即扳动枪机向我们吓声说：到那里去，把钱留下。这时虽辨不清他们的衣服颜貌，已知是劫路的匪徒，同伴五人均操河南归德以东的土音。我当时身无一文，因为所带的钱都在妻的身上。当把邮务员数人的衣服解开，由两匪搜劫，三匪持枪旁立，并频声恫吓快把钞票拿出。他们几个人所带的公私款项数百元悉被搜得干干净净。等到匪徒搜劫去了以后，他们几个人嗟叹痛苦的几乎不愿再走。甚至要自杀在那里！但此事本身，我们已不堪再言，因为这是中国社会早有了病害所致，在平时是这样，在混乱时更甚。当时民族的大难当头，我们对于这件事还有什么话说！

我们在这里嗟叹卧地休息了约一小时，突见北方火光烛天，呜呜的汽车声向南而来，敌人的坦克车五十余辆像火球般地向东南滚驰，于是我们嗟叹疲倦的心情陡然又变为恐惧与紧张了。我们急奔至与敌车进向相反的麦田里伏下，约廿分钟敌军便过去了。这时东方已现出了微明，血红的朝霞，渐渐在东方的半天上展开。我们在这霞光中疾行十余里，到了高寨，温和的朝阳已高挂在长天的漫空了。这里的农民已经跑的没有一个人，每家的门上屋里都留下敌人蹂躏的残迹。衣物什器，狼藉的被毁散在地上，鸡鸭牛羊等都被掠一空，尤其是像臂般粗的小树也都被断在地上，一种零乱荒凉的景象，殊令人不忍卒睹！在一个小小的茅棚里见一七十岁的老翁，据说该村的百姓早在三天以前跑光了，他因年老力弱跑不动，所以留存此地没有去。但敌人因叫他找鸡子鸡蛋不得，竟把他的脸打得浮肿起来。他又说离此不远的唐寨，唐姓一家十九口，因为逃避不及，被敌人捉着，男的悉被杀戮，女的都载在坦克车上带去，幼童有的活劈，有的半死弃在道旁。被劫掳的妇女们，亲眼看着自己的丈夫和爱子被杀被弃，本身又将要被奸污而死，一种号天呼地悲喊哭泣，求死不得的惨状，殊非笔墨所能描绘于万一。

因为高寨东西是敌人经过的通路，所以我们不敢在此地多留，缘着西向的荒路前行。由高寨到砀山约五十里，我们竟遇见敌人的坦克车四次，侥幸都安全地避过。晚到碭山因城里戒严不得进城，到基督教会谷牧师处休息，当承其隆情招待，并赠路费，殊为感激。

第二日午到砀山西三十里的杨集，又西行约三里的麦田道旁，突又遇土匪二人，第一个就指着我搜劫，我受人所馈赠五元法币都被他搜去了。但经我苦苦的解说以后，他便立即的如数还我，并带有安慰的口吻说：你这位先生尽管放心的去吧，我们在这里和你无关。这实在是出我意料之外啊！土匪也用特别的眼睛来看顾我（？）。其余的同路者都被劫个精光。尤其是同乡朱君唐君被劫得更惨，他们带着家眷，不但钱钞被搜个空空，首饰细软等贵重物件亦同时劫去。然而他们当然也都是难民，独优我而薄他们，土匪的用意就不得而知了！

午后四时到牛堤圈车站，因为这站上停有机车一列，定于本晚西开。所以我们在这里休息等候。不料突见北面尘土飞扬，敌人的坦克车又浩荡地冲来！过客、难民和正在田里工作的百姓，都争先恐后的向南飞奔。我奔至距该站南四五里的沈庄天主堂里躲避，该堂神甫为一年约五十余岁的李君，堂门悬有意大利旗。李君对我说：王先生请放心罢，我可保你的险。这话确否？我虽不敢必信，但也只得听着了。这时敌人正在站上破坏铁路电线的炸弹声不绝于耳。然直到第二日午后我军始开到与之抵抗，在此日夜二十四小时的时间里，敌人不但把交通线破坏，防御工事做好，附近该站的村庄亦完全的被它骚扰得体无完肤。说也奇怪，我所避难的天主堂，敌人始终没有进去，虽说该村已经被杀了三人，这在我又是一次侥幸了。

因为这时陇海路已被截成三段，开封以东已经不能通车，所以我们决定继续着步行到归德经睢县，然后再南转太康过扶沟至鄢陵直达许昌。沿途经过十余日，除认识了敌人的残酷外，更认识了河南百姓的疾苦，及民间武力的强大。但因文化水准的低落，政治训练的缺欠，不能发挥他们对于民族革命抗战的伟大力量，这是一件最可惜而严重的事！我在牛堤圈南沈庄亲眼看见，人民自卫的枪支，待敌人来了的时候，都成捆的向河里投藏！我希望河南的政治当局，多在民众身上注意！多训练这广大的附有武力的民众，使他们的力量都充分的表现出来。然后再与乡村固有的碉堡相配合，这不但正合蒋委员长村村筑垒，步步设防的旨意，于长期抗战上定必可收到很大的功效。

一九三八，六，十，于武汉。

飞虎

林素园

台庄已掩太阳红，丰沛谁能续大风。
手下一挥千虎将，倭奴吞尽不弯弓。

张善孖先生出绩辑文山《正气歌》图像中画群虎一幅题句，步其原韵。

游击队壮丁和自卫军

——一个落伍兵在突围线上所见

章一梁

出发前连长说今天就要冲过敌人的警戒线了，无论如何要在天明以前冲出。百五十里路的急行军，紧张、跑步、停歇……班长不断地喊着——

“跟上去，跟上去！”

天忽然变得漆黑了，什么都不能看出。我看准前面一个人的白茶缸跑。忽然前面的马停下了，站住。我趁机躺向麦田里歇一下，就睡了！

醒来，太阳高高的，大约有十点钟。

我看见麦田被踏出一条约三四丈宽的光板路。部队，炮兵，汽车，都过去了……我落伍了！

我好像想不出什么来。

我顺着路迹向西走，在一个村庄上我遇到了铜山县第三游击大队的三十多人。他们押了两辆满载着枪支的大车，他们说是前面部队遗弃下的不大好的枪。王队长说——

“前面部队早去了，你一个人过不去，跟我们一块儿干了吧！”

我就转头来跟他向东南走，活动地区是符离集以西红花洞一带山地。我因为走破了脚就和王队长坐上大车去。

就要穿过铁路线了，在一个村外我看见了坦克车轧过的轮迹，随即我就看出了隐在大树下的敌人的装甲车。我说——

“坦克车！”

“什么，——这是坦克车的轮子吗？”王队长问。

“是呀，大树下不是装甲车吗？”

王队长打了一声招呼，他们就四散走开了。我们跑了几十步，就爬在麦田里。好久，好像并没动。我起来看，我又剩下了一个人！两只空车远远停置在那里，骡子也不见了。

我又不知道他们的集合地点，而且又没有探兵，没有搜索，没有警卫，这样的游击队我不干了吧。我又走回了自己的路。

晚了，我不敢上村庄。跑进一丛坟地，那里有很多避难的老百姓露宿。一个慈祥的老头儿说——

“儿呀，你赶快把军服脱下来吧！这四周的村庄都来了日本兵，你还这样走吗？”

这老年人姓戴，五十六岁了，他的儿子给敌人抓了去，他带了一个女儿躲在这里。我要永远纪念他老人家，感谢他老人家。

他给我换上一身老百姓裤褂，又给了我一件棉背心，叫我连夜走。我给他一点钱，他却不要。说：

“带着吧，你在路上要用。”

我白天找地方藏起来，睡一下，夜里在麦田爬行。一连三天，在第二天的中午我遇着一队敌骑兵和四辆坦克车。我没处躲，我看见麦田里有几个老百姓割麦，我也就弯腰蹲下去。他们就在我身旁走过！

一会儿后面有四五个步兵出现了！走近，看出是我们自己队伍。我正要上前打招呼，那些老百姓却都跳出来，有三十多个！都拿着家伙说——

“喂，把枪放下吧！”

“我们是打日本人的。”

“让我们来打吧，哈哈，你们跑还来不及呢，打什么日本人！把枪放下来——子弹！”

四个穿军服没有武器的兵，和一个老百姓走在一块儿了。问问前边到亳州还有四十几里，我们计算着已经出了险境。迎面来了三个武装同志，止住那四个喝道——

“你们为什么不带枪！”

“搜，搜，不要问，搜他！”另一个说。

有一个曾恶狠狠看了我两眼，却没怎么样。他们大约搜出几十块钱，骂着“他妈的，落伍兵就该杀！落伍兵没有一个好东西”走了。

我认得他们臂上是一个红的“卫”字，他们是自卫军呀！

前线归来

剑　心

一　徐州之战

日本帝国主义暴徒们，在鲁南二次大会战中，受到了严重打击之后，便不顾一切，以更大的兵力，冒最大的危险，一变往日稳扎稳打的作风，以骑兵配合机械化部队，实行运动战，到处骚扰。虽然侥幸地他们小有所获，然而这种小获，正是引他们陷入进退维谷的苦境。我们相信在全线大会战中，我们一定可以将敌人全数击溃，而达到了我们歼灭战的任务。

敌人经了台儿庄的惨败，失掉了进攻的能力之后，他们感觉和我们打硬仗的结果，非趋于失败的途径不可，因此便下了一个更大的决心，将鲁南重兵逐渐抽出，向鲁西方面运动，而以另一部分兵力来牵制我们。在五月九日以前，敌人的诡谋成熟，便开始行动，同时自十日起开始用大量的轰炸机分往陇海线上大施轰炸，以破坏我交通运输网。

鲁西方面，敌人因为兵力的单薄，便将平汉线上的二个师团的残部混合起来，向东移动。于五月十日起，先后占领濮阳、范县；十一日下午二时，又攻陷郓城，旋又进犯菏泽。当时守菏泽的系 ××× 师林旅及 × 师守城外，另有 ××× 师守黄姑以牵制敌人。激战良久，敌以猛烈之炮火，将我阵地全行破坏，我不得已逐步向后移动，菏泽终于在十四日的早晨失陷（编者注：菏泽又于二十四晚克复），×× 师师长李必蕃亦于菏泽战役中壮烈牺牲。敌人在菏泽得手后，其先头部队，遂即向南推进，会合嘉祥之敌，直下金乡，现正剧战中；封邱方面之敌，亦乘机占领民权等处，切断陇海西线汴商段的交通。目前我大军正向民权车站进迫，期于短时间内肃清之。现残敌一部已分窜杞县，我正派队痛剿中。

津浦北段正面之敌，初未敢南犯，嗣亦由南阳湖方面乘虚追击。于偷渡南阳湖之后，即直趋陇海西线之李庄、黄口二车站。于十五日集中兵力，以大部队进攻砀山，另一部向徐州推进。

南段之敌，于五月六日起，即开始分路向我进犯，一路沿津浦线向北猛进；一路向西发展，攻陷蒙城后，复分兵北犯，占领永城，企图与强渡南阳湖之敌会师黄口之间；一路由淮南方面进攻合肥，以分散我们兵力。我事先早有准备，对北犯之敌，以重大兵力应付，阻止其北进。蒙城敌呈突出阵线，我左右翼乘势夹攻，毙敌甚众。进攻合肥之敌，亦付极大代价，始获占领。一寸土地一寸血，我们在对倭消耗战中，决不会给他们便宜的。

依据上面的情形，徐州业已处四面包围之中。在军事上业已失去了价值，没有死守的必要，因此便在十九日做战略上的退却。由于我们计划的周密，在李司令长官指挥之下，非常有秩序地退出了徐州，在突击的过程中，我们很顺利地安全地都到达了指定地点，没有一丝一毫的损失。在这一点上看来，徐州的退出，决不是我们在军事上的失败，只不过是一个军事形势的转变而已。

二 安全退出

五月十五日的早晨一时，天色黑沉着，经过大轰炸后的徐州，街市上愈显得凄凉与寂寞。我们这一大群的新闻从业员，都悽怆地吐了一口气，轻轻地喊声：“再会吧！徐州！”跳上一辆载重车往西方驰去。败墙颓壁，到处阻碍了汽车的前进。

走尽了街道，穿过了原野，在一个小村庄上停住了。是一个不知名的小村庄，我们便在那里休息了一回，在晨光曦微中又开始行军，在那天下午，便到了津浦线西段杨楼车站附近的郝集。

离开杨楼车站大约有二十几里吧！我们很清楚的听到炮声交流在天空。

十六日整个的上午，时间消耗在研究路线问题。我们应该由铁路的北面冲过去呢，还是由铁路的南面冲过去？敌人的实力如何？这些不容易答复的问题，每个人思想都集中在上面。飞机更不断地在空中侦察，有时便掷下几个炸弹来。

太阳已经稍向西偏了过去，炮声一步近一步，

×××师首先向东移动，接着每一个部队，都分路出了郝集。我在人流中挤出了便向东北方向跑去。

穿过了麦田，在×××××那里集合了，便开始向西北移动。刚走近一个小村庄附近，敌人的先头部队和××师的骑兵遭遇而开火了。枪声一阵紧似一阵，大部队都向北方前进，我紧紧地跟着，一口气走了三十几里路，在××那里又停下了。

天快黑了，我们在一所民房里会到了三十八师师长黄××将军——就是在临沂将敌人最猛悍的板垣师团击溃的一位名将。他慷慨地说着，他悠然地说着，脸上还露出一丝笑容，神色像是非常坦然的样子。

“今天晚上还得行军，你们还能走吗？”

“能够。”

“我想替你们备三四马，因为你们没有训练过，恐怕在急行军的时候，万一要是落伍的话，那是很危险的。”

“那好极了。”我们真感谢他的热情的照顾。

天黑了，还飘着一丝一丝的毛毛雨。大部队已经出发了，马还没来，我们便彼此牵着手在黑暗中摸索前进。

我的手紧紧地拉着陆诒的手，彼此热情而慷慨地说：

“咱们十年的朋友啦！死就死在一块儿吧！”

一脚高一脚低的走着，不知走了多少路，我的脚掌上已经起了好几个水泡。我忍受着，只是张大了眼睛，向前方望去。瞧着，瞧着，前边是不是有敌人挡住了我们的路。

身上的衣服，完全给雨打湿了，寒风吹来，便不由得身上索索的抖着。肚子饿得发火，脚掌上像是千万个小针刺着，额角上只是淌着冷汗。我咬紧了牙根，脱去了鞋子，光穿着袜子走着，袜子破了，水泡穿了，脚掌上破了一块。那样的苦楚，但我不敢落伍，还是跟着队伍走着。

突然地后面牵来了一匹马，这是师长替我们预备的。于是我吐了一口气，跳上了马背，跟前骑兵走着，我好像化子拾金那样地欢喜，把脚上的痛苦，完全忘了。是午夜时候，我们交替着骑马，以减少步行的痛苦。

在拂晓的时候，我们走了六七十里路了，刚走到 ××× 的时候，据前卫的尖兵回来报告说是前面村庄里发现敌人的坦克车。于是队伍又停顿了。不到二十分钟的时候，又接到报告，说是“敌人坦克车已经开走了”，于是我们的队伍，又向西推进。

刚走到 ××，尖兵和敌人便开火了。开火之后，师长便下令派增援上去，同时，预备工事。这样进可以攻，退可以守。

开火不久，敌人气球升起来了。在这一个时候，我们十个新闻从业员，一直向北走着，大约有十几里路吧！就在那里休息下来。饥倦交迫下，当我一坐下之后，便倒身睡熟了。

大约不到一个小时的时候，突然有人说“外边发现敌人便衣队了”，于是反身起来，跟着他们就走，这时大概是十七日下午二点钟吧！我们都迷失了方向，更边走上几里，绕了一个很大弯儿。

一步一拐地走着，提心吊胆地走着。

夕阳西下的时候，幸运地又遇到了大部队，在那略事休息之后，又吃了一顿东西。寒风吹在身上，顿时又打起冷战来，陆诒在乡下人那里买了一件棉袄，于是我也花了一块钱买了一件破而且脏又长满了蚤子的一件旧棉袄，欣然地穿上之后，顿时觉得身上暖和了好些。

土地完全笼罩黑色帏幕中的时候，我们绕过了××（这时已被敌人占领）走入×××××中，又向西前进。我们没有一丝的声响，以全力向前方望去，敌人所占领的地方，全都冲起一片火光，坦克车更不时地往返巡视着。

我们左绕右弯，走入了敌人的重围，因为取道二村之间，不走正途，所以始终没有给敌人发现。方在庆祝我们的幸运的时候，突然左前方发现敌人的一辆坦克车，正对着我们冲来。

每一个人，平心静气地注意着敌人的行动。敌人坦克车立刻也露出惊慌的样子，立刻将巨蛇的一对眼睛似的电灯熄了。就在这一刹那我们立刻马上加鞭，向右前方冲了过去。

当敌人的机关枪响的时候，我们早走上十几里路了。

我们不再停留，马像飞也似的驰骋着，可是当他们发现我们的时候，除有时开上一枪之外，都远远的躲开了。

这时候，我的马失前蹄而将我摔下了，我忍着身上的痛苦，牵住了马，一跃而上，又向前飞驰而去。在三四小时之内，也不知走了多少路。重走入××××，我们检点人数，我们发现短少了十几个，据说都已经在饥渴交迫之下牺牲了，还有一位华侨记者龙炎川先生也失踪了，有的说是倒在麦田里睡熟了，有的说是在一个老百姓家里休息着，我们默祷着龙先生早些平安归来。

五，二六，写于汉口

临沂的老太婆

鲲

老太婆鼓着最后的勇气走到旅部门口附近的地方，脚步停住了，她有些犹豫。

自言自语地转了一个圈子，终于歪着两只脚直走到守卫兵的面前。

“不要进去——你做什么？”

“我——我走了三十多里才找到这里来的，唉！”她说了这话就想走进去，卫兵把她拦住了。

“你找谁呀，老奶奶？”

“我有话说，我找官长。”

虽说是官长们也常和老百姓直接谈话，可是这老太婆——看去快六十岁了，穿着堆满了灰沙的蓝布衣服，皱纹的脸干瘦得那么可怕，衰弱的两只眼显出非常急躁的强光——她有什么事要见官长呢？

“找官长？有什么事对我说吧！”

“那不行，老总！我走了三十多里才找到这里来的呀！——唉，我反正是不要活了。”她急得转了两个圈子，又想冲进去。

“你篮子里是什么？”另外有一个弟兄走过来，带着点警觉心检查她的篮子，那里面半篮子鸡蛋，几条黄瓜，没有别的。

“你送鸡蛋给官长吃，可是的？”

“不是，老总！这是鬼子叫我买的——你们不要拦我呀，我要见官长，我走了三十多里路才找到这里的……”她又是那两句话。至于为什么替鬼子买鸡蛋，从那里来的，她始终不说。纠缠了好久，士兵们感到有些严重，终于把她带到团长面前。

官长们正在为了攻打临沂打不下来焦急着。敌人的炮一天可以发一千多发，我们的队伍开不上去。它子弹没有耗完，我们怎么也打不进城。它在死守着等待援军。我们的另外的部队在临沂西面和敌人援军鏖战，这边必须在我军阻止敌人援军的时期中攻下城来。城外的敌军阵地都被我们的炮打毁了。可是它城里所存的炮弹像是十分充足。

老太婆是从临沂城里来的。她的儿子被敌人强迫着运弹药，在火线上被我们自己的炮弹打死了。媳妇和一个十二岁的女儿，她亲眼看着受轮奸；女儿当时死了；媳妇两只奶割下来，把人丢到河里去，剩下唯一的一个孙子，五岁。

一条孤独的老命，带着孙儿住到关帝庙旁边别一个老太婆家里；她们准备着自己终于消失在我们攻城的炮弹底下。日本兵所守的临沂城里白天夜里都有我们的炮弹打进去。

可是她昏暗的老眼慢慢注意到一件事上了。日本军队白天夜里都到那关帝庙里面抬东西，大木箱，小木箱。城外攻打得越紧，他们抬运得越忙。有一天，老太婆对这些沉重的物件突然发生了理解，她生死的心中意外地燃烧起一种新的火焰来。

“怎么样才能出得城呢？”她一夜没有合眼。

过了两天，两个日本兵抓了三个老头子两个老太婆，给了些钱，派他们溜出城去买青菜，鸡和鸡蛋。交通断绝的城里找不出这些东西来吃。

老太婆提了篮子走出城来，一声不响地和同行的老人们分了手。

她对团长报告完了之后，坚执地要赶回城里去；在这个世界上还有她唯一的一个小孙儿。

夜晚，我们的炮弹对准了一个最有效的目标，关帝庙发出爆炸的巨响，城里烧得半天红。

第二天上午我们的军队进了城，城里看不见一个中国人活着。关帝庙前后左右都成了焦土。

团长立在一堆瓦砾边低着头想什么。

这是李德邻先生讲给我听的。

苏北漂零记

朗　华

一

满怀了悲愤的心情，在炮声星影里，我随着×××集团军的总部，向徐州的东南运动。

这支跨出剑门，越过秦岭，转战于晋东和鲁南的西蜀健儿，扼守运河南岸一月有余，敌人始终不得前进一步。虽然紧急的战报不息的传来，——徐州西面黄口、李庄已被敌人切断！我前线健儿依旧是勇敢和镇定，固守着阵地，决心和敌人拼命，谁也不曾想到退却！

炮声愈响愈近，徐州情况不明。五月十八日夜十时，撤退的命令传到柳泉总部，孙震总司令亲自用电话传令所属各部。十二时左右，南韩庄、利国驿、茅村一带的我军陆续撤退。

十九日拂晓，越过孤山集，横穿陇海东路，沿途遇见成群的难民。笨重的牛车拖着箱笼杂物和妇女小孩。一对青年农民夫妇，用箩筐抬着白发龙钟的老母在人群中走，一幅悽惨的流亡图，使我深深涌着悲痛。

车到萧县属境的储兰，天上射着耀眼的阳光。五架敌机嗡嗡的出现。几丛树木，恰好做了我们的隐蔽。五架敌机过去，接着又有三架飞来低空盘旋，侦查大兵退却的路线。前面的村子响出一串卜隆的声音，浓烟上升，敌机正在狂施轰炸。

因为战况的紧急，一连几晚都不曾得到充足的睡眠。我们走进储兰小学去休息，里面静悄悄的只有墙壁和桌椅在欢迎客人。参谋处长胡剑门君昨晚忙着起草退却的计划和命令，绘地图、发通报，精神过度紧张疲倦，走进教室便倒在桌上睡去了。我掇一条凳子靠墙坐下，嗡嗡的声音响在头上，怎么也不能安静。

午后两点钟光景，饥火在腹中燃烧，我跑出来寻觅食物。敌机突然临在头上，我和章周胡三人躲入街上一家药铺。屋上掠过尖锐的惨叫，雷一样的声音在地上狂震，墙壁倒塌，灰土弥漫着屋子。体内的血液像停止了循环，各人紧闭着呼吸卧在地上。

房子劈拍劈拍的着火燃烧。十数分钟后，嗡嗡的声音远了，我们站起来抖去身上的灰尘，门外一棵榆树被破片拦腰击成了两截。

二

五点钟后离开储兰。当晚十二时大部达到杨庄。庄内住满前线下来的友军。我们在一所小学内晤见于孝侯氏。始知徐州已沦陷，敌人越过南宿州。我们不得不在此停顿，商量改道的计划。

二十日薄暮，部队由杨庄分道出发。本来拟往西进横贯津浦南段，现在改向东南行走。

不到几里路，迎面的村里忽然发出机枪声，原来是敌人的少数骑兵。大家以为是汉奸捣乱，派队搜索后，毫不介意的仍向前进。

黝黑的夜空吐出疏朗的星光。除了脚痛的人以外，谁也不愿坐亮着两盏巨灯，露出显著目标的汽车。我的乘马在路上被敌人坦克车冲散，只好让两条腿把自己搬动。

午夜时分走到前程，刚进村子即响出一片枪声。黑夜中分辨不出有多少敌人，随着总部的只有特务营一连和执法队一连人，孙总司令亲自督率上前应战。其余的人全往山地和麦田里乱窜。

机关枪水一样的在全村响着，不久更夹着大炮的吼声。毫无疑问的这里已有大股敌人在等待我们。

我随着一群人穿入麦田，登上山地，右翼也响出了连珠的枪声。先在一道的M副官长和何参议已不知去向，勤务兵更无影无踪。我提着一个大皮包独自穿来穿去，麦田里忽然发出声音：

“老总，前面有日军！”

我停止脚步顺着声音的方向走去，三五个年纪不等神色仓皇的农民，躲在麦田里，旁边睡着妇女和小孩。见我走来都睁大了眼睛！

“你们是什么人？”我问。

“我们是村里老百姓。”一个中年农民回答。另一个年老的从地上爬起来：“今天下午村子里到了日军，把我们的粮食吃光了，我们跑出来躲避。”

我问他们知不知道朱集？有没有别条路好走？他们全不知道。只告诉我附近的村子都住有日军，还有坦克车停在村内。年老的农民更告诉我穿着军服走不出去。

由于村民善意的劝导，我给了十元钱，把他们身上的衣服脱给我换。我把皮夹里的重要文电撕毁，凡足以证明是军人的东西完全丢弃，迎着月影向东走去。希望天亮后遇到自己的人。

远远的村子红着火光，枪声依然清晰的响在耳畔。

三

在麦地里走了一个整夜。不觉得寒冷，不觉得饥饿，不觉得疲乏，更不知道走到了什么地方。

天上透出鱼肚白的颜色。一条大路摆在眼前，静静的没有一个行人。泥上印着无数的蹄印，路旁掉着一面太阳旗。大概是敌骑刚过不久。我像梦游似的行走，忽然一只手把衣领抓住。

黄军服、马裤、短髭。两只可怖的眼睛闪在钢盔下面。一个不曾见过的黄脸孔现在面前。他拉着马向身上搜查一阵，没有什么发现，口里叽哩咕噜一句，用手一推，似乎叫我走开。

离开了敌人的警戒线，急急忙忙向东奔走。日影当空，饥饿与疲倦交困。本来是避开村子走的，现在却想朝着有村子的地方走去。一方面好问路，一方面买食物充饥。

树林里现出了隐隐的人家，我的脚步加快起来！

我走进村子找着了一位联保主任，说明了来意，他欢迎我进去休息，我假说姓陈，在团部当书记。我把昨晚冲散的情形告诉他，请他不要告诉别人。

“杀人要杀死，救人要救活，陈先生，请放心罢！”他走进屋里提着一壶茶出来。

四

联保主任叫刘沛然，曾在灵璧县立初中毕业。此地名刘官庄，属灵璧县境，县里有敌人。朱集隔这里不远，也住上了敌军。他劝我在庄上多住几日，没有事时再走。

“村口有人看守，日军来早知道的，往麦田一躲就没事了！”他宽慰似的对我说。

一个二十五六的妇人走进来，刘沛然指给我说是他的女人。她对于我这陌生的来客表示十分的关切与同情，很热心的问我：你家在什么地方，隔这里多远，家里有些什么人！你饿了么，我做面条给你吃！她说完跑进厨房去了！二三十分钟光景，热腾腾的端出大碗粗面条，里面煮了两枚鸡子。

“四川有七八千里，你回去真不容易啊！”我正在狼吞虎咽的吃着面条，她望着我说，“你家里的父母一定在挂念你。”

“仗没有打完，我不想回家。”

“你走到别的庄子没有人敢留你，他是这庄上的联保主任，一带的人都服他管。”她指她的丈夫，再替我介绍，同时也表示她的身份。

刘沛然从里面搬出一张绳床，顺着墙壁放下。我呼呼的倒在上面睡去了！

五

在屋里不知睡了多少时候，朦胧中听见许多人谈话的声音。

“刘先生，找双便鞋给我换一换。”似乎是北方口音。

“这样穿上谁知道你是军人呢！”刘沛然女人。

“床上睡的人也是军队上的！”

“请坐罢！”刘沛然的女人招呼，似乎新来了客人。

“前面的村子已把日旗做好了！日军要老百姓割麦子，跑了就开枪打！”新来的人。

“老五留着头式，马队跑进村子，看他像学生，一枪打死了。”另外一个本地口音。

“日军来把好的给他吃，要什么拿什么，没有事情。”

“谁能担保呢？我们是中国人，不做亡国奴！”刘沛然回答。

“日军要地方上组织维持会，不答应就把村子烧光，我们往那里去呢？”

“反正现在没有来！”

声音沉寂，似乎出去了一些人。我睁开两眼从床上坐起，屋里来了一位生客。经介绍后知道姓崔，河北人，×××师军医，被敌人冲散后逃到这里，刚才换了便服。

天色渐阴沉。刘沛然叫了庄上一个剃头匠来，把我十余年没有改变的头式，剃个干净。

晚上，我和姓崔的同睡一间屋子，患难中自然成为好朋友。我的心里悬着焦急。不知总司令在什么地方，部队在什么地方。我们商量如何突出敌人包围线。此地决不可以久留。主人虽贤惠，汉奸却可怕！

半夜里下起淅淅的细雨。犬吠特别厉害。刘沛然抱着被盖轻脚轻手的走来：

“前面村子的人都向外跑，日军已经来到，赶快往麦田里去躲！”

我翻身把床上的被盖卷好抱在手内，和姓崔的一同走出。他的女人和小孩都戴着斗篷候在门外。我们一步高一步低的跟着刘沛然走。天空漆黑，雨点飞湿全身。在很远的麦丛里蹲下，冷风袭来，全身起着抖战。

六

孙总司令拂晓时从前程冲出，带着零星的部队走到泗县。我从麦田里出来，路上遇见 ××× 的军队，加入一道前进。走到大李集，墙上有粉笔写着 ××× 集团在泗县集合。

泗县没有敌军。县长黎纯一是四川人，他免去了全县的捐税，深得人民爱戴。他在地方上组织有几千游击队，曾经带领着一度克复盱眙县城，徐州失陷后正在地方上竭力维持秩序。

我们的部队沿途经敌人冲击，损失大半，到泗县时只剩一部分残余，采取了化整为零的方法，指派固定的人负责统率。二十五日我离开泗县到马公店，和总部的M副官长，何参议等十六人向淮阴的道上行走。

因为地理不熟和一部分人腿痛的缘故，在青阳时，旅店老板竭力劝我们坐船到清江浦，他沿途一切都很熟悉，曾经在江湖上混过多年，水旱两路的朋友都有交情。他交给我们一张名片，有了这个就保险不出岔子。

船价由老板一手包办，是三十元。因为老板对我们这般热心，临走时除了口头上说了许多感谢外，另送了二十元做酬劳。他推辞了几次才收下，后来才知道船夫实际上只得到十五元。

我们所走的河道叫做边河，大概是运河的支河，通过洪泽湖直到淮阴，轻帆孕着顺风，当晚到了洪泽湖。湖里停着十几只走货的商船和数只小渔舟。我们的船靠在湖中度夜。黄色的湖水接着星空，几点渔灯与水光相映。我脑里浮着回忆，四围的风景含满诗意，止不住书生气发作，口占了两首七绝：

徐州回望恨层层，剃发萧然似野僧（我成了光头），此夕扁舟湖水上，几多幽梦伴渔灯！

洪湖万顷远风波，此去横飞出网罗，莫道山河颜色改，满腔犹有壮怀多！

七

经过了十天以上的惊险生活，大家的行李丢光，穿着从老百姓身上买来各式各样的衣服，形状显出十分狼狈。身上发出汗臭，晚上十几个人横七竖八的在舱里挤做一堆，这人身上的虱子爬到那人身上去！

淮阴、宝应、高邮，都还在我们的手里。这一带有清邮交通班的小轮维持临时的交通。淮阴经过惨炸后已显出异样的凄凉，许多有钱的人都往上海搬去。我们到了高邮，换船到泰州，所走的路线都是在路上各方面打听以后再决定的。

泰州过去九十里是黄桥，黄桥过去五十里是新港。再从新港便可搭轮到上海。

我们当晚在泰州的旅馆里把鞋底拆穿，剩在身边的钞票通通塞进去，再用线缝好。从泰州过去要通过敌人的境界，据说来往的人都要检查。我们每人身上除了一张难民证外，便仅有一点路费了！钞票敌人也要没收的。

从泰州出发是坐手推的独轮车。头上罩着炎热的阳光，遍野躺着金黄的麦田，这里的乡村全是些砖墙瓦屋，掩映着扶疏的树木，临着浅浅的溪流。许多农民男女都在田里割麦，空场上砌起一堆一堆的麦杆。当我走近一座村子时，一个十五六岁的姑娘正拉着一头黄牛出来。

短发上戴着斗笠，澄澄的眸子，玫瑰的面颊，清秀娟娟。人物风景，都比北方的乡村可爱。

车子吱呀吱呀的在田野里叫。树阴下，常常有卖茶的小姑娘。我们四川一到暑天，路边上常常有人放着茶水送给往来的人解渴。起初我以为像故乡的老规矩，喝了一碗就开步走。当我被拉着不放时，才知道还欠一个铜板。

八

到黄桥已经天黑，过去二十几里必经之路就是敌人的驻在地——季家市。

黄桥是一个商务繁盛的水陆码头。虽然距离敌人很近，又没有重兵，但居民并不见得有什么异样。这儿堆积一大批的粮食准备向敌境输送，季家市的地方自治委员会，据说黄桥也有人去参加！

我们住的旅馆老板是曾经当过税警的。他告我们黄桥有一位姓韩的青年绅士，只有夫妇两人和一个小孩。家里有几十万财产，敌人来后，把财产全部寄往上海、香港。自己在乡里把庄户农民组织起来当游击队，自己当队长。为了保卫乡土而干，这种精神确值得佩服！

第二天要从敌人面前走过，大家的心里都有些紧张。我因为已和敌人碰过面，我这样子活像一个小伙计，很脏的蓝布裤子破了两个洞，面目黧黑，孑然一身，不会有什么问题。如果要盘问，我已经把从那里来那里去的话编好一套！

到季家市才知敌人在两天前撤走了；街上贴着伪地方自治委员会的布告，贴着一些敌人宣传民众的标语！敌人特放这条路做交通线，让内地的粮食必需品流出来往上海运。又把日货从新港卸下来，让奸商运到内地渔利。

新港到处都看见太阳旗。海关和税收机关完全是汉奸在把持，一般民众在暗无天日下度着生活。码头上拥挤着许多从淮阴下来的难民。我们踏上一只英国船，飘浮直抵上海。

六月二日

胜利的退却
——淮北浍河突过记

长　江

一　秘密进军

大兵团无后方不能作战。五月十二日徐州西面陇海路李庄车站一带被敌人截断。继发现已非我短期内可以肃清，则鲁南运河一带主力，势已不能不退，否则我被围部队有被歼灭危险，而豫东空虚，势可能酿成混乱。“保持我军战斗力，有效的打击敌人，不作不必要的牺牲。”这是我们作战的原则。既然局面吃紧，我们主力当无任其浪战，作无代价牺牲之理。所以这回五月中旬徐州战场主力，决定突围西撤，从军事观点上说，一点也没有错误。

前进容易后退难！大兵团撤退，而且要通过敌人包围线，实在可能遭遇重大的危险。如果突围部队再带上些笨重的炮兵，因为运动不灵，目标易显，撤退起来，困难更多。

十八日在徐州东南八九十里的小村中，我看到这样一条电令，大意谓："予亲率汤（恩伯）廖（磊）两军团自永城蒙城怀远间突围，望贵军（指孙连仲）从萧县一带冲出，李宗仁叩。"汤廖孙三部合计十万以上，在敌人已截断了我们后路一周的时候，如此大军要突围而过，大家都料到会有些事情发生。

我十七日在徐州偶然加入汤军团，得随军突围之便，正巧汤军团担任着中央突围任务。这一军团刚从运河东岸撤回来，已经打得相当疲惫，掩护机械化重炮队自中路突围的消息，十八日传到我们的耳里，大家一想，总得有些麻烦在中路出现。

敌军飞机从五月十日到十五日把徐州炸得差不多了。他们的活动转而注意到徐州四周战场的侦察和轰炸。我们突围的企图，也许已在敌人想象之中，十六十七日敌人侦察机的活动，几乎没有停止。十七日天本微雨，然而敌人侦察机仍如穿梭式的飞来飞去，所以如何能隐蔽我们大军突围的企图，在我们运动中不被敌人发觉，要秘密将主力接近敌人包围线，乘敌不备中突然闯出重围，当时成为大家忧虑的问题。如果企图暴露，则敌人可调兵堵击，或者拦腰截击，再则可以调集大批空军，集中轰炸，可以将我们部队扰乱。我们纵然一部突围，损失必大。

十七日夜间，中央军团由运河西岸，西南向津浦铁路之夹沟及符离集间前进，计程有一百里。军团既大，道路难寻，当时午后七时始天黑，而晨间四时半已天明。故欲大军团于天明前进入宿营地，免去敌机之侦察，相当不易。十八日晨已届七八时左右，我若干部队仍在途中，当事者忧虑异常，谁知十八日晨竟起大雾，十数丈外即不见人。直至十时左右，始雾散天青，敌机嗡嗡出现，而我已全师进入村庄休息，隐蔽精确，丝毫未见大军痕迹。

十八日午我随万参谋长去宿县附近，和南路军廖磊部联络，此时离我们宿营地五十里的宿县，其西门外已发现敌踪，枪炮声大作。我们在第七军周军长司令部时，卫兵突呼敌人坦克已到门外，虽系一时错觉，但紧张情形，实非等闲。敌机乘徐州和宿县两处迫近的机会，对于徐宿间的空中侦察，曾尽最大的努力。乃十八日午后，忽风沙大作，尘土掩盖了地上的村庄，使我大军之隐藏，更加确实。敌机曾低飞至数百公尺，不惜冒险以探究竟，然而休息于各村树林中之我军将士，唯报之以肃静，或则略耸眉目，旋又入睡，似在另一方面，颇同情敌机之徒劳也！

二　夜行军

十八日我中央军团的主力，已经占领了夹沟车站以南符离集以北津浦铁道，一面向西北萧县之敌警戒，一面向西南宿县以西之敌留心，夹沟与符离集之间，就是我们全军突围之路。谢谢十八日的气候，敌人没有发现我们突围的企图。正如二十五年我军克复百灵庙之夜，冬季蒙古草原突发南风，使我军活动便利，当然我们不信什么数运，但是这种巧遇的气候，实很让我们兴奋的。

十八日夜我军团全部向西横穿津浦铁路，一步一步接近敌人，于是全军将汽车、大车、行李等尽可能的减轻，尽可能的焚毁，各人准备自己体力所能带走的东西，下令军中不得照手电筒及香烟燃火，不许谈话。

攻击的退却，大家不是随便争先恐后地乱跑的，我们的队伍虽然要按照战斗行军的序列，井然不乱的出动。不过在陌生的乡村之夜，而又分散宿营在广大平坦淮河原野中，要很快的集合，很整齐的行动，太不容易了。地图不够，向导困难。这里只我们中国年轻老练、吃苦耐劳的中下级军官和特殊忠勇的士兵才能办到。

古代战争文学的术语中，有“衔枚疾走”的话，如果说衔枚疾走是形容一种夜间袭击敌人的景象，则我们攻击的退却中，也有几分近似。在我们初集合时，人还尽可能的沉默，而战马却不了解我们的心情，在我们极度要求肃静中，它们似乎为表示它们的勇敢与兴奋，而高声嘶号；但是部队从集合场按次序出发之后，马匹也走入了它们应有的行列，一步跟紧一步，大家不肯乱嚷了。

夜间行军，向导是很大的问题。我们都是外来军队，地方的道路一点也弄不清楚。我们行动，完全靠地方土著人民的引导，没有向导，军队就成了瞎子，一步也不敢移动。向导人选也很困难，农民纵然肯做向导，但是他们一生足不出乡里，离开他们家乡二三十里，他们就往往弄不清楚了。我们一夜要走一百里左右，沿途往往非换三四次向导不可。黑夜找向导，在急行军中很难有从容的礼貌，实事上演成“夜捉人”的现象。最好的向导是乡村中小商人及江湖术士，但是太不容易了，所以行军中最要紧的是跟紧前面的向导，后便一个紧跟着一个，偶然不小心，中间拉长了距离，只要岔路口一转弯，后队立刻找不着前队了。

十八日夜，我们闹过两次失联络。一次在道路复杂的村庄，一次在岔路口上，夜间视线太短，后面一旦看不到前面，心中之焦急，等于婴儿一旦失去保姆。在这个时机，后队最先头的人，因为他没有跟上前面的队伍，拖长距离，弄得大家都失去依据，于是大家总是把他臭骂一顿，泄泄胸中积愤。

津浦路东的山陵地带，是我们司令部纵队必由的地方。我们从平地开始骑马翻山，除了山炮之外，任何车辆都不能通过，好些笨重的行李在山下焚毁了。翻过山头，看见山凹树林中有数十处灯光，我们以为是某高级司令部所在，同时心中暗责，在这样时代，晚间还不知道自爱，这正是曝露自己的目标，泄漏自己的企图。然而进入村中，始知为某不长进部队。

大家讨厌灯光，痛恨汽车，车灯一开，光耀三四十里外，这是露企图最厉害的东西。灯光一照，“王八”，“混蛋！”都朝着车灯方向暗暗骂去。如果是普通汽车和我们部队走成一路，谁也不肯让路。但是如果是机械化部队的牵引车，大家又不约而同的纷纷让开，以骄傲的心情，目送我们的“国宝”。纵然有暴露企图的可能，大家也愿为之牺牲了。

三 接近敌人

中夜翻了一座石山，下坡滑倒了几次马，我们的步兵在黑暗中上山和下山，轻快肃静，但听刺刀摆动声。大家仿佛都是“神行太保”的后代，午夜刚过，他们已走了将近百里。

下山行十余里，抵津浦铁路线。我们乘津浦车南北来往者，已不知若干次，而独于此次骑马过津浦，意境怆然。伫马铁轨中，顺铁轨南北展望，朦胧的月光将轨道照成两道无尽的白链。向南看，想到蚌埠、南京；向北看，想到徐州、北平。不知什么力量，吸留住我们十数匹马在路轨上徘徊。前面的队伍已经去远，后面的又挤了上来，我们不能不走。“忍耐吧！津浦！不久将来，我们一定可以使你重见祖国的旌旆！”策马西行，彼此皆频频恋。

今天出发得较晚，途程较长，机械化重兵器又都挤在一条路上。十九日天且黎明，许多军队和车辆，被一座独桥束缚起来，不但我们有许多部队由东向西，而且有另外部队，自西向东，目的是走向铁路以东，袭击敌人。据他们说，从宿县北上的敌人，以为我们的军队，还是在铁路以东，运河以西，谁知我们已西过铁路，不再相待。为了不完全表示对客人的冷淡，我们全身武装的东去部队，特别准备去“当头欢迎”！

天已明，独桥几乎把我们队伍弄乱，如果此时发现敌机，真正难于设想。过桥已接近永城到宿县的公路，公路之南，为浍河；浍河沿线，即敌人重要交通线所在。

既已接近敌人，而宿营地还在二十里之外，十九日晨不再像十八日那样有雾，大家都忧虑空袭，因为地势太平，队伍太多。伤亡可能，姑且不说，大兵团企图如被发现，却是重大的问题。所以过了桥的部队行进非常迅速。只看见人马从麦田中掠过。一会又是一个村庄，一会又是一个树林。

“嗡嗡嗡……”，老资格的战场生活者，都立刻判知侦察机来了。于是麦田里，树林里，实时隐藏着无数的人马，然而部队太大太杂，敌机把我们局部发现，因此低飞扫射，打伤我们十七个人。

几架敌机连续不断的侦察，弄得我们后队，几乎正午才完全达到宿营地。十九日这天可不同于往昔，上午下午头上侦察机几乎没有断过，午后天空发现十一架单翼轰炸机，外加六架驱逐机，浩浩荡荡而来，地下村中挤着密集队伍，以为这回准是侦察捣的乱。那晓得这般家伙竟直往北飞，大概在永城、砀山一带，“孔隆孔隆……”大炸一场！

再有一晚的行军，我们可能脱离敌人的包围。但是问题在我们将走那一条路冲出去。十九日我们宿营在大贾家一带。一部军队截断永宿公路上之西三铺西四铺，以战斗部署，接近敌人。从这里面向西，斜穿永宿公路，在永城与其南之临涣集间通过，本为正路，而河流因上游关系，水浅易渡。其次直向南进，横过浍河，然后转头西去，过淝河以趋涡阳附近。

十九日终日听到西北和东北的炮声。知道附近友军正和敌军作战。而陈大庆师所得西五铺方面报告，敌人有向我搜索前进模样。总之，敌人已经逼近，要突围似乎非打不可。经过十九日整日的侦察，敌人无论如何在我们必经路上，可能准备相当拦击和腰击的力量。

四　突过浍河

生死关键在今朝。敌人的侦察机，在十九日黄昏前，始终未离我们上空。万分肯定地说，敌人已经知道有相当大的军队，接近了他们包围线，十九日晚，是我们最紧张的时节。我们预定的十九日晨宿营地，已经在敌人交通线外面。

这里关于行军路线，高级将领有点不同意见。多数主张向西走，在永城及其南之临涣集间冲过，因为这样可以避过渡河麻烦，用步兵战斗前进，困难较少。但是中央军团指挥官独决定向南行。首先是横过永宿公路。然后横渡浍河，判定敌必不对我在北方戒备，可以掩护机械化重炮容易出险，虽然有渡河的困难。

反正就是这一夜，黄昏未尽，敌机未去，我们先头的部队已经从各村庄中开始出动。本来看起来平静的树林村落，这一下仿佛都伸出了乌色长蛇。蜿蜒前进，一会见包围村庄的树林，这绿色的点，被灰色的线联起来了。

今天晚上准有事，大家都这样想。便衣侦探回来的报告也不很明确，浍河沿岸究竟有无敌人，也没有多大的把握。笨重的行李要带走的带走，该烧的烧了。

军队出发了。黑夜行军本不容易，特别是要过敌人封锁线在的隘道河流等，万一接火，军队更难掌握。中央军团为了保护重炮，为了防止敌人从两翼来进攻，我们分成十几个纵队，由北向南，并行前进。对于渡过浍河问题，我们为每一纵队选了一个渡河点，有些有桥，有些需要徒涉，每一个纵队都是战斗的准备，和抱着冲破敌人包围的决心。

单单行军，问题倒简单，现在要打仗，十几个纵队不但在纵的方面，要接受后方命令，而且要在横的方面，保持联络，以便战斗中互相策应。每个纵队相互间的间隔，有时不过二三里，很难不弄得行军上最忌的“交叉”。每一个纵队都是急行军，都要换上五六个的向导，黑夜入村庄临时找向导，真不是容易事，往往提来七八个，也许是他方来的难民，根本认不得道路。向导不灵，军行又急，十九日夜没有弄错道路的纵队，实在不多。

我们可以说是中央军团右路军的中央纵队，右面靠近临涣集，左面的友军纵队很厚，比较安全。

大地是无情的黑暗，有时道路弯太多，我们往往怀疑走错了路，抬头看天上的北斗星，又重新判定了方向，指示了迷途。

接近浍河北岸，青年农民的报告，浍河南岸的韩村集有敌人兵站，骑兵一二百人，韩村集即在桥头上。而且每天在河南的道路上往来的坦克车、汽车和骑兵很多。究竟南岸的布置怎样，从民间消息看来，还弄不大清楚。

本来在麦田里穿来穿去，走得官兵们有几分困乏。

然而敌情既如此紧张，大家好像喝了一杯凉水，精神为之一振。要干一家伙，我们就来干他一下。重机关枪、轻机关枪、战车防御炮、小钢炮……都跃跃欲试……这时落伍兵都飞快去赶上他自己的队伍，骡马快步送上它背上的武器，一声不响，准备给我们战士使用。

河边到了，前面队伍停了。据彭赍良团长报告是：前方开始搜索，并开始渡河，在河那面先占据点。并且说，过河的木桥已被敌人将桥面破坏，过渡不易。过河东南二三里地方即韩村集，为敌人兵站所在，渡口右面一二里地方，有敌人架的坚固木桥，为敌人坦克及汽车经过处，可以过我们的重炮。

后面的军队统统按次序在麦田里休息，或者安然而过，或者要打过去，只等彭团长的通知。

突然下起大雨来，天也将近上午四时了。许多的军队集在河边，如果天明后，遭遇着大规模空袭，可真不得了，指挥官赶紧催促前队速进。令工兵速架桥，骡马另寻路涉水而过。

我到浍河边，目送一部军队渡河，但是对岸没有枪声。我们先头部队没有和敌人接触模样。反不如午夜前还有少数枪声和炮声。我有几分奇怪，我赶紧随前队过河。登岸处已看到我们的战车、防御炮等在登岸路口上架好了。这是准备敌人战车来冲时对付它。

过河后，一片平野，大麦田正快到成熟期。敌人的电话电报线，架得非常之多。地上麦田中，敌人汽车痕迹，几随时看得见，再过，敌人战车来往的道路，简直把地面已压得发光。天已大明，万一敌人出来腰击，真不是好办的事情。

韩村集敌人居然没有敢于出来，我们走不到几里，看到我们重炮队已经飞速的在我们右翼飞快地开过去了。

我们大军这时乘势分路过河。同时掉头向西发。直出蒙（城）永（城）公路。我们的传令兵不断出发到两翼，联络友军纵队，约着大家齐头并进。

机械化重炮能安然过河，大家都料不到。沿途乡民告诉我们，敌人在十九日白天，大约有一千人左右，经韩村集，开向永城方面。

二十日赶到蒙永公路上的殷家庙，殷家庙北的青疃集还是敌人据点之一。后来部队带来消息，二十日晨我们突过浍河后，当日午后，敌人坦克车、骑兵就从永城方面追回来了！只有些伙夫担子和落伍兵被他们俘虏屠杀！

大军赶过永蒙公路以西，立刻回头把枪口对着东北永城和东南蒙城的敌人，我们又是自由之军了！

（完）

风雨涡河

王昆仑

如果说在战地里也会有一点温馨的感觉，那就是夜行军到了天晓的那一刻时光。

五月二十一日晚，我们离开小王庄。队伍走过了一个高坡，人和人的面孔可以相互看见了，从麦穗上吹过来的风是清凉而平静的。大家很自然地呼吸着，通夜的疲劳骤然得到了苏醒。

现在才知道自己走在多长的一个行列中。我们后面是挑夫队，再后面是特务营，再后面还有很多队伍还没有上到坡顶。先头部队已经走下前面岸坡底下去。虽然是麦田中的小路，很曲折，可是双行的纵队很整齐。只有夹在中间我们这一小段非战斗员显得不相称。衣装不一样，有女工作员，有新闻记者。

“那是淝河！”蜿蜒在面前一条流水。

听说这淝河上游没有多少敌人。渡过淝河还要走几十里才到涡河。涡河，这是一个多沉重的名词啊！一提到它，就会引起一大串警戒的联想。

“真糟糕！还没有渡河，天大亮了。风声鹤唳，好家伙！”有一个脱了队的某军的谍报参谋临时参加在我们的队伍里。他是我们中唯一的军人。我们都没有行李，只有他还带着一个挑夫。一路上他常是忧愁的，但也喜欢讲些军事经验给我们听。现在听着他这样说的我们不约而同地望了一望嫩蓝的天野。

每天的行军都是夜里开始，不等到天明就宿营，把队伍分散在各村落和树林里。在渡涡河以前的路程无论如何不可以被敌人发现。但现在命令是今晚要赶渡涡河，队伍不能停在淝河这边。

副官长过来叫我们先到村庄里去休息，不必跟着大队涉水。

牛棚旁边，几个人端着刚煮熟的高粱面的“糊涂”在喝。谍报参谋一边吃着，一边和一个人压低着喉咙进行长套的辩论。他以为双桥子有敌人马队，我们来的路上发现地下有坦克车的痕迹，我们选择这个渡口是错误的；况且高级指挥官既在队伍里，更不应该冒险前进；而我们前卫部队没有先把沿路的敌人搜索消灭就自己过了河，岂有此理！另一个却以为既是突围性质，就首要争取一分一刻的时间，并且要以避免交绥为主；若是沿途恋战，这附近敌人虽是不多，可是蒙城和龙坑的大队敌兵赶到截击，那才危险；况且敌人那会发现我们队伍里有高级指挥官在内。

“那么你以为敌人不会在前面等待我们吗？”

“可是我们的前卫昨晚就先去迎击了呀！”是的，前方的炮声和机关枪声现在还响。

“到了河边，也只有赶快渡过去——”

一架侦察机从东南方飞来，偏着身子打了半个圈，很快地又向东南方飞去了。

“给我们一个半渡而击怎么办呢？”谍报参谋补足了他的意思。

村庄外面队伍很迅速地向河口走。老百姓指给我看，东南几里外的一片树林就是双桥子。他说昨天下午有敌兵来拉走五个壮丁，拿光了这里的鸡和猪。我脑子里盘旋着两个人的谈话，踱到树丛中去。

太阳穿过树阴，地下铺着碎影。两个高级官坐在一堆稻草边对着摊开的地图在谈话。守永城把一团人都拼完自己仅以身免的一位青年团长站在旁边，脸上流露出焦急，不断地瞭望村外没有过完的队伍。树林外放哨的卫兵随时举起望远镜对着明朗的晴空。

“无论如何，长官不能再留在这里！”从河岸走来报告渡河情况的一位参谋把结论说得很坚决。他从水里涉过河，又走回来，下半身全是湿的，喘息着。两个高级官回头向着那边树底下看了一下，有一个人裹着毯子很安稳地睡着。

敌机已经发现我们在渡河吧？半小时以后，我们步行到几里外一个村庄。那里的河身忽然变得异样的狭小，走过一顶小木桥。

情报：右侧方白马山敌人骑兵、坦克车向我方前进。这时候我们的前方还有炮声传来。淝河已在后面了，离涡河还远，我们在两河中间。人们正走在一片无边的焦黄的麦田中，太阳烧得人皮肤痛。有树林的村庄还在远得看不清的地方。

三架飞机到了头上。

很快就看不见一个站着的人影，可是麦子太稀太短了。

比震耳的低飞声爆炸声叫人更忿恨地是看见那两翅上血红的杀人标记。它们在骄横地忽上忽下，穿来穿去，每次跟着那紧急的“呜……”的一声是一个胆形黑点从它身后飘了下来。你以为那一声低飞的“呜……”最难听吗？炸弹穿过空气落到地面以前那一霎那的“呱……”才叫你更不舒服。当你刚听到这个奇异的声响，地面立刻猛然向着胸膛涌动，自己已经被烟灰掩没了。然后你看见身旁堆着一大堆土，烟和灰向上喷。然后你又继续听那照样的第二声，第三声——也许地位稍远些。可是凡你还能听得到“砰”的一响，那就是说死已经从你身边走过去了。

这里的感觉和在徐州不同。没有大建筑物起火，没有密集的居民忽然血肉纷飞。虽然死离我们也许更近些，可是我们不觉得是伏在瓮底里等它。究竟能毁伤我们多少呢？那天在相连着的五个村庄炸了一整天，死伤了我们三十几个人，粉碎了几付行李担子。它能侦察，能阻碍我们行进；可是我们随时更换着迂折的小路，随时分散，随时集中，能永远跟着我们吗？不过在它当头发威的时候，人的生命变成不是可以考虑的事。比恐怖还伤人的是恐怖中塞满了忿恨，这忿恨也会炸裂了人的心。中国人也已经经验得太多了。在日本军阀的眼中，中国人民比不上它脚下随便擦死的蚂蚁吧？

“妈的，炸弹丢完了吧？又是墨索里尼！”人们把意大利飞机这样称呼着。

“刚刚那六架还会回来的！”

人们站起来，零散着向前跑。离树林还很远，沉重的隆隆之声又来了。又卧倒。六架轰炸机在高空的太阳底下，闪出金属的强光，很缓慢地飞过去。

再跑步。每个人脸上流着大粒的汗珠，喘息得闭不上嘴，嘴里像在冒烟。那里有水喝呢？偶然看到一棵小树，那树叶青润得多可爱啊！赶到一个小树林，有人坐下了，但立刻又被严厉的声音催促着走，腿很自然地机动着。

白马山的敌人，双桥子的敌人……跑着赶路的人不能忘掉他们。可是终于归结到那一个简单的意念，就是涡河。

涡河是怎样的一条河呢？它不像江淮一样，让人那么熟悉，亲切。是滔滔的洪水，还是涓涓的细流？是两岸有高山峻岭，还是平铺在田野平原？人们来不及去想它。同时，有人以为涡河是我们的安全地带吗？绝对没有！谁都知道那是突围中一个最主要的严重关口。在行军的第一夜，行列中已经很迅速地传播了有关于涡河的军事知识。它是和怀蒙公路平行着的，是敌人这次由怀远冲到永城，截剪我们后路的一条阵线。河的两岸都有兵扼守，以保持对我们的封锁。我们现在必须要从这一条河流的身上找到一个任何的渡口，作为突破点。可是这一企图能够在敌人的疏忽之下办到吗——除了以秘密的行进和威力的袭击以外？于是只有以时间去争取空间，以速率去和危险竞赛！

“敌人给我们一个半渡而击怎么办呢？”当这问题刺到人心里来的时候，唯一的解答是赶快走上前去。尾随在身后的黑影比迎面的威胁还叫人憎厌。紧张的情绪，只有使那危险更移得逼近，更看得真切，才反而能简单、平静。

为了等待前卫部队肃清河对岸的敌人，我们停止在一个村庄里。

一阵小小的纷扰。多少人到井边抢水喝。多少人拼命地摇动许多桑树，多少人抢那落了一地的桑葚吃。没有白米和白面，没有菜，没有鸡蛋。可是有鸡。高粱面烤出饼子来，配上鸡汤，太鲜美了！女同志们走来走去，打水，烧火，忙得厉害。她们走了几天几夜，脚步还是那么强健，有三个人始终脚上没有起过泡。在路上，饿了掏出身上带的高粱饼子吃；渴了，传递着唯一高等水果——黄瓜，一个啃两口。炸弹在身旁响了，彼此望着苦笑一下。停到村庄里，要找老百姓谈话，教小孩子唱抗战歌。是有什么东西在支持着她们永远不会颓丧的吧？敌人可以夺了她们的生命，却夺不了她们的活泼；中国的女儿们在血和火的缝隙中成长着！

吃饱了饭的人会自然平静的。除了指挥官在那边计议军事以外，树阴底下，有人挑着脚上的泡，有人睡在地下，仰着脸，闭着眼睛，吸着讨了来的香烟，安闲地吐着烟圈，一个跟一个。

“中国的原野多美丽啊！”人们闲谈中的感慨，本是一句听熟了的话。可是当你面对着一片金黄光耀广大的麦田，远处是密树浓阴回环匀整的村落，谁也有这种实感。

“可是这美丽的原野，昨天是敌人的，明天也是敌人的啊！”

“就是现在，也在敌人的圈子里！”

在敌人的圈子里！敌人用他的坦克车、大炮、骑兵，给我们画一个很大的圈子。在他这个圈子里，有我们多少土地，多少城池，多少村落，多少人口。现在，这个圈子里的城池起了大火，房屋变成瓦砾堆，麦田里任他坦克车和骑兵冲来冲去，老百姓从这个村庄跑到那个村庄，而主要的是他想把这个圈子里保卫土地和人民的多少军队一炮就都变成了灰烬。可是中国军队已经能够做他们该做的事了。他们曾坚强地抵住过津浦线南北两面的攻击，他们曾取得台儿庄伟大的胜利，并且还向山东一带进攻；在一个长期抗斗中，诱集了敌人的主要力量，并且给了他以极大的消耗；最后，还坚执着不肯放弃徐州。现在敌人像一条双头蛇一样，一个头从济宁金乡，一个头从蒙城永城，西边对着，弯在中国军队的身后，截断了他们唯一的归途，想把几十万军队的一只大象一口吞下去。其实他这野心是毕竟不能完成的。我们会给它这细长的蛇身分作几节来冲断，并且要尽可能地不被他咬伤。突围的目的在“全师”，除了扫荡拦阻以外，一个士兵，一条枪，都要能安全地走出敌人的包围线；而且还要到他的外线之外去等候他，打击他，消灭他。当然，台儿庄那胜利的纪念碑，徐州那坚强的堡垒，现在都变成回忆中的痛痕，都被我们丢弃在身后了。然而中国新的胜利纪念碑，新的坚强的堡垒，正在敌人的教训和我们的进步中构筑起来。在不得已的撤退中，所有的中国士兵每个人都忿怒填满了心胸；只有防备，没有惧怕，不愿意遇到拦阻，但也愿意找到厮杀；凝结着心神，紧张着步武，为的完成退却的任务，却不是走向溃灭的深渊。光明和战斗同时站在永远英勇的中国军队的面前。

使我们不能不哀恋着的是眼前这金黄的田野和翠绿的村庄啊！这成熟的小麦，这浓密的树林，这质朴勤劳的男男女女，老老少少，能都被我们带着走吗？我们终于将要把它们一齐丢在敌人所划定的这个死圈子里面。

他们要白天饱餐着我们的新麦，夜里住遍着我们的民房。而人民——这许许多多的生命啊，真会变成脚下的蚂蚁任别人来随便擦死，走到远处去的我们连一点声音都听不见啊！

每一个中国人的身上都流着仇恨的血——记得那天走过一个村庄，女同志指着墙上的标语“歼彼倭寇，灭此朝食”的句子讲给老百姓听。

“为什么不就写杀日本鬼子呢？”古典文字和农民的心隔着一层。

“杀日本鬼子，我知道！咱没家伙啊！”女同志们给他们接着讲了人民可以怎样团结自卫，怎样帮助军队，破坏敌人很多的说话。

“有人领头，咱就干！”农民是坚决而有力的。但要有教给他们使用自身力量的方法。皖北一带的农民和山东、河南差不多的。终年的劳苦吃不饱他们的肚子。从他们中间产生出最强悍的士兵。还有多少人流浪出去当土匪，同时村中的人民会打土匪。被捉来的土匪，没有狡赖，没有求饶，只说声“有种”，就立刻在供状上画个十字，了事。当生命已经不能拿在自己手里的时候，他们决不珍惜生命。我们眼前这原野的四周，一个村庄接着一个村庄，那里面不是都有着多少个不怕死的中国健儿吗？若是他们每个人都拿着手榴弹、步枪；拿着大刀、长梭标；若是他们每个人都懂得怎样去扑杀敌人的哨兵，烧毁敌人的车辆；若是每几个村庄里都有人组织他们，训练他们，每几个村庄都能连环攻守，都能随时出动；那时候，日本的飞机能把中国每一个村庄都炸平吗？那时候，日本军阀将要看见他们的坦克车像摘了头的苍蝇一样，在中国地面上发了疯，拼命地乱转，乱转，终于精疲力竭被一群死不放松的蚂蚁拖了走吧？那时候，将有多少中国英勇的农民骑在日本骑兵的马身上，高举起中国农民骑兵游击队的大旗，而随时出没在“皇军”的阵地后边吧？若是那样，“武运长久”的“皇军”，这一片几千年来中国人民生长居住的村庄，恐怕你们也不能安睡哟！你们可以在中国地面上划上包围歼灭的大圈子，中国的正规军也可以为了必要而撤出到圈子外，然而中国人民却留在你画的圈子里，他们将在山头、河边、村庄、路上，白天、昏夜，给你们挖掘足够应用的坟墓哟！这一回，皖北的农民是没有来得及使用他们自己的力量，他们也许逃亡，也许死，也许在刺刀底下受你们的驱使。可是我们已经得到你的启示了：广大的中国，无数的人口，在学习，在组织，在武装起来，在到处等待着你们！若是那样，“武运长久”的“皇军”，你们还能像现在大踏着脚步向我们走过来吗？

每一个中国人身上都流着仇恨的血——中国人不可能永久撤退的啊！

静默中我感到风吹过来带着些凉意，有桑葚落在我身上。太阳不见了；空中的颜色变成昏黄，天上的阵云在推卷，一层厚过一层。

要下雨吗？远处的村庄逐渐模糊。人们穿鞋的穿鞋，背毯子的背毯子。女朋友们在开始分发干粮。官佐们忙着照料出发。

我们走在向着涡河的路上。

黑暗一点一点压下来，把身边最近最小的空间都塞满。眼睛对于人似乎没有什么用处。能听到的是嚓嚓嚓的脚步声，轻而急促的呼吸声，后面挑夫队行李的撞擦声，前面官长的马蹄声。可是，这时候人们的耳朵却只想向着辽远的四野去伸长，要在无边的黑暗里去探索有没有外来的动静。行进中的人和人是一条锁链，一个环扣着一个环，紧张地曳引着，没有脱节的自由。参加在大行列中的我们，每一个男的和一个女的组成双行，凭借着肩并肩手挽手的方法补救步伐的参差。十多里路没有谁说一句话。大约都在温习着从前所听过关于遇到敌人应有的动作那些话吧？譬如：怎样的枪声，子弹高于人，照样前进。怎样的枪声，必须卧倒。那么坦克车来了怎么办？副官长说过的：最好的办法是围绕着坟头躲避它。至于我们这小集团也有约束：第一，无论如何，不乱跑，不脱大队；第二，每一个男的招呼一个女的；第三，如果有一个死了或重伤，大家只管走，丢下她前进——这是一位女同志提出的。在行列的行进中，死，不是谁个别的概念，而是许多人共同背负着的一个整体。只有谁若是因软弱而落了伍，为了个人而卑怯，那么这恐怖立刻专落在他自己身上。有时候人想到如果做了俘虏，那倒比死可怕得多。

“我们最后一颗子弹都没有哟！”有一次一位女朋友用手点着自己的太阳穴，睁着沉重的眼对别人说，似乎在叮嘱他什么。那位朋友是带着一支小手枪的。

“至少咱们三个一道死！”他说。

“还有一个是谁呢？”别人在问。

“总要打算一个敌人在内才行呀！”大家笑了。

现在听到机关枪在轧轧轧轧地响。他走在我前面，我看见他紧紧裤带，用手摸一摸背后的那支小手枪。那个同行的女朋友和他挨得很紧。当她偶然脚下一歪一躄的时候，他立刻用膀臂把她夹住。他们是这回路上才认识的。黑暗和困苦使得人与人之间消灭了隔离，危难把许多心铸成了一个。

就要到河边了。雨越下得紧。有人把自己的上衣脱下来披在女朋友身上。我的鞋底穿了，脚上第二次起了泡；一个有马的人让我骑了他的马。

穿过一个树林，我的马不受控制，超越到队伍前头，赶上最先的一匹。

“谁？”马上的人严厉的问。

“逾越险阻！”我自然地把记着的特别口令喊出来。

“哦！跟我来！”当他听出是我，而且不必要他回答了口令，声音中有一点笑的意味。这是因为今晚过河特派的临时向导官参谋，一个风姿英挺的少年军官。

“敌人从两边来了吗？”我问他。

“不要紧，正面我们已经突破。”

“后面呢？”

“追是追的，人数不多。这不是已经到了界沟，刚把他打走！”他指着前面一带黑影。

由于里面有些火光，我看见一座堡垒式的城围。上坡，过桥，走进去。街道上堆着些看不清楚的东西，战斗疲乏了的士兵们在破墙垣里煮东西吃；有些燃着柴草烤衣服。火光照出来被打毁的民房和街棚。沉埋在黑暗中久了的眼睛只觉得面前闪耀着一块块昏黄、血紫、灰黯。鼻子里充满了烟火气。参观台儿庄的那种破烂焦枯的印象立刻重现出来，凄凉的感觉使人身上更觉得阴冷了。

“呵——啊！”刚刚一走出寨门，人们一齐喊起来。

三堆篝火燃烧得几丈高；火焰在死静中跳跃。人们看到光，看到色，夜行者的太阳啊！多少条视线，多少颗心，一齐飞奔过去。

三个巨大的红亮的光球底下，照出来一条宽广的河水。

风大，雨下得紧，地下滑。人和马都不能在那很陡的斜坡上驻足。没有谁再抵挡得住人们飞跃的心；人群像瀑布一样向河滩上倾泻。无数的身体在推动，在涌进。

声音更浮动起来。行李队的洋铁箱声撞得乱响。挑夫们在叫，在骂。官佐们挤着跑，招呼自己的队伍。

一匹马叫，许多马都叫。

“马不许上桥！”宫参谋明亮的声音穿过一切。

“特务营第二连先走！”

“跟上战车炮队！——听见吗？”

“我们呢——宫参谋？”通信兵连在喊。

“跟上走——电台，当心！”

“宫参谋——副官处还不走吗？”

“不要挤，行李一齐停下来！”

“有人下河呀！”水豁喇豁喇地。黑暗的河里忽然浮起多少金色的花朵，一点一点，头抖着，明明灭灭，在移动。这是有些士兵们从篝火中抽出多少燃着的火炬，高举在手里，照着自己下河。

“水太深，下不得！”

“回来！不要命吗？——急什么？”宫参谋大声斥骂。他的马头被拨得一下向这边，一下向那边。

那些士兵终于退回岸上来。

雨太大了；黑暗中三个红火堆眼看着在缩小。河滩上停留的人还很多。人们也许并不再记得四面来攻的敌情；浩大的声势中，所有的心只有澎涨，没有虚弱。可是横在脚下的河给人唯一的号召是“渡”。在急雨的催赶和篝火闪耀中，谁不为了那点光亮时间而焦躁呢？

风吹得树杪呼呼地挥舞，树要往河里倒。千万条的雨脚哗地直打在急流上，河也在喧嚷。炮车从浮桥上滚出空隆空隆的雷音。空中旋转着一团一片的红的火光，白的雨光。

马激烈地嘶啸。

“骑马的到这边来！”宫参谋的马挤过人群，向那边走去。那边河滩上支着一架窄长的板桥，有两匹马抢上去，很快地从桥上翻到水里，马上的人叫。

“走！”宫参谋纵一纵身子，打了一下马，首先下了河。我的马紧跟着；马头扬得很高。一个滩到一个滩中间是急流，一个马跟着一个马猛跳过去。马后面发出巨大的响动，士兵们立刻塞满了这水浅的一段河身。人和水混流的巨浪立刻澎湃起来。

对面的河堤被冲得要向后退。似乎结成了一个整块的人群，动荡，推卷。

我被陷在紧密的人丛里，马不能旋转；感觉到马蹄踏到了较硬的地面。马打着疲倦的喷嚏。许多人在喘气。雨水流着的人脸上闪出油亮的光。远处浮桥上正过着跟得紧紧的一行挑夫队。河那边的篝火有一堆熄灭了。

宫参谋的马跳上河堤，指挥各部分队伍集合。有人开始在点纸烟，有人伸长了头望着河对岸。在一个不被注意的时间以后，转动的人群，逐渐分成若干堆，发出喁喁的声音，你会觉到一种恬静。我看见自己的队伍，把马交还给别人。站到地面上，才发觉过河的时候，下半身完全浸湿在水里。

河的那一个岸已经安睡在黑暗中。沉沉地一路上压着人心的那条涡河忽然被我们丢弃在地下了。

“宿营吗？”有人在问。

“你看向导的马不是向前走了？”

“也不让烤烤火？”

“这河边停得住？天要亮了。”

队伍走上了平坦的道路，东方显出青灰色来。雨不知道什么时候停的。

肚子饿。一位女同志从衣袋里掏出一块高粱饼分给我，被雨水泡酥了，一到嘴里，就变成碎渣子。

“嘿，我们的人没有少？”后面有人追上来，是那位谍报参谋，水湿了的裤子紧裹在两条腿上。

“你来了，就一个不少！”大家都很高兴。

“你的行李挑子呢，× 参谋？”

“丢在河里了。落得走路方便；和你们一样。”我们从徐州出来最初的七个人只有一条毯子。

“× 参谋，敌人没有半渡而击哟！”

“谁说？渡河的时候你们没有听见？”我们当时只曾领略到宇宙和人群合奏的一个大交响曲，竟没有在其中分辨出枪炮声来。

“那么现在没有问题了？”

“前面是蒙城——”他用手指着北方，“可是他圈不住咱们了。妈的，鬼子！中国人永远不怕他！”我们第一次看见他这样得意的笑容。

涡河那边机关枪响得很密。

（完）

平凡的经历

陈　因

徐州，中国抗战军事的重镇。徐州，军事交通的要道，津浦、陇海路的交接点。每天煎熬着疯狂的空袭，从前是一个热闹的城市，现在却是一个死亡的挖去了心脏的废墟。然而，在它不曾失去战略意义的一刻钟之前，我们英勇忠贞的战士们仍然依恋地防守着它。

大炮轰到司令长官部，我们才擒着一泡泪水别了徐州，南下。炮声一刻比一刻吼得更响了。

我们一个很小的集团，大家都非战斗员。男的，女的，还有两位塔斯社的记者。

随着司令长官部，十一集团军总部，我们加入了突围的行列。

一星期的夜行军，辗转在敌人的阵地里。到处睁开着战争的眼睛。碰得巧，就来一个遭遇战吧。危险、兴奋、紧张、饥寒，织成了战地的生活。

我们和战争却缺乏缘分，不曾有过一次接触，就回到了自己的阵地——安全地带了。我们非战斗员恢复了独自行动的自由。

在警报中，三部汽车飞过了原野，穿过树林来了。是来接李司令长官的，现在先叫我们用着乘它回去的。

临走前，为了要表示感谢司令长官对我们的好意，并慰问他日来指挥突围的劳苦，我们作了一次告别的拜谒。

“我们的辛苦是应该的，这是军人的责任。你们的勇敢才使我们增强了战胜敌人的自信心。”司令长官微笑地和蔼地向我们说。

坐上了汽车，心里充满着无限的惭愧。这虽是司令长官的好意，但想起雨夜徒行的战士们，像有一块巨大的石头压在我们的胸口。

我看见垂着穗头的麦田，柏树；绕着池水的村庄，奔向我们的后面，田野里十分太平的。如果没有战争，这里一定正吵闹着割刈者的欢笑喧哗。

谁说太平呢？中国全土都在尝着战争的滋味。不是吗？敌机又来了。前头的两部汽车停住了，后一部也跟着停止。人，很仓促地奔下来，像一只只逸脱的兔子。敌人早教我们学得机警和敏捷了。

瞥见了一丛树林，心想树林里可以隐蔽得更好些。天晓得，这正是他们的目标哪，敌机飞得低到不能再低，正在我们的头上空盘旋着，像大鹰找寻一个没有抵抗能力的小鸡。我们很清楚地看得见敌机上的一切，我心里飞迸着民族仇敌的愤恨。

敌机自由自在地飞来飞去。当它看准了它的获取物，就低下头来，而且放下一颗黑灰的小点。我们本能地平卧在地面上，好像无抵抗的羔羊等待着死的来临。炸弹落在离我们一丈远的麦田里，黑烟和灰尘占有着整个空间。响声过后，我摩遍全身试看看有没有伤损，同时，我抬头察看周围的伙伴们。

危险的事情，并不会很快就完结的。小黑点又一个个的落下来，响声使我们断念了生之留恋。

“不要动！不要动！卧下！”因为那儿的老百姓四处奔逃，生怕这样会使敌机轰炸得更加起劲。所以她吆喝那些奔跑的人们。他们缺乏着防空的常识，这责任正该叫我们民运工作者去负担起来。

能够生，我们并不愿意轻率地死去。我期望着敌机快点儿飞开。谢谢“上帝”，它向着原来的航线飞去了。但是，“啪！啪！”在附近发出两下枪声，敌机迅速地掉转头来，这回得到了汉奸的指示，它要疯狂地轰炸了。

“完了！老弟，未完的工作，朋友们一定会接替起来的，而且他们一定会把这惨无人道的疯狂的侵略者赶出我们的国土。”小张正对我说完这句话，“轰！”的一声又在我们的旁边响了。自己尽管消灭吧，但是我们估念着自己应干的工作。我们给死的预感支配着。

敌机携来的炸弹是有限的，并不能炸毁整个无边的大地，它走了。自己虽然生存着，伙伴们呢？互相挂念着，互相找寻着，幸而很快的集在一起了，数一数，并不少掉一个。庆祝吧！我们还留存着一条永恒不倦地工作的生命。

侧面，一片熊熊的火光。

担心敌机再来，我们向着相反的方向，走进一座村庄。农夫们为着急于回去看看自己的家，他们惶恐地望着火光走去。

“老乡，这是什么地方？”我问路上的一个行人。

“这儿是马家店。”

“啊！原来现在烧着的就是从阜阳开来接我们的大卡车。”

“敌人没有一刻使我们安宁的！”

“汉奸不放讯号枪，敌机就不会发现目标再来轰炸。”

“刚才放枪的汉奸已经拿到了，是一个六十岁的老头儿。”

“六十岁还当汉奸，真该死！”

“老头儿还有二个孩子，也打算在这里放火呢！好在被我们发觉，逃跑了。”

我们走进了村庄。人聚集得更多了。我们紧抓着每一个工作的机会。告诉了他们：敌人是怎样的残酷，飞机来时应该怎样躲避。

压根儿他们就不懂得什么是日本，更不懂得为什么要跟日本鬼子拼命。我们耐心地为他们解释，煽起了他们反抗的怒火和民族的仇恨。

我依恋地望着这群紫铜色的强健的男女们，如果他们被好好地组织起来，武装起来，而且有着正确的领导，在“变敌人后方为前方”的新战略中，他们将是一支强有力的人民自卫军。

一九三八，六，十五，汉口

老百姓到那儿去了

冯光灌

队伍，一条长蛇似的投进了村庄——小王庄，星光，微弱地照耀着。

“手电，找屋子。”轻悄的语声在每一个角落地响着。

我们，由于过去的经验，知道假若不赶快找到一间或两间屋子的话，会被抛在街头，于是也立刻动员起来。

“奇怪，怎么屋子一间间都加了锁，老百姓呢？”在连续找到好几家不得其门而入时，彼此惊讶起来了。

“走，到别的角落去找。”一个朋友这样提议。手电闪耀着，大伙儿向南移动。

“嘿！真见鬼，一个人也没有。”

“妈的，一家家都是上了锁，叫老子睡在露天吗？”

在十字路口，几个弟兄咕噜着。

“找不到屋子怎么办？”

“不管，打开门再说。”

“这怎么可以呢，人家锁得好好的。”

是的，彼此都明白，我们不能胡乱闯进人家去。可是，疲乏的腿，困倦的眼，逼迫得人忘去一切。于是绕过几个屋子，终于在一个四方的院内停留下来，怀着不安的心情扭开了东边屋门上的锁，东方，慢慢发白了。

把疲惫的身子投进了一个板床，半步时前困倦得睁不开的眼，这时却丝毫无睡意。“老百姓到那儿去了”这一个念头纠缠着我，我站起来在院子内巡视了一下。

右边是一个厨房，半块吃剩的馍横在锅盖上，锅底还是温热的。院子的东角落里，放着一个瓦盆，浸着一件粗蓝布的布衫。这告诉我若干小时前主人还在这屋子里。

“为什么老百姓全走开了？”

经验告诉我，在过去时代，行军所至，常有骚扰的行为，于是老百姓“畏士兵如虎”，听说大军开到，便“溜之大吉”。然而，在抗战十月，民众动员工作已相当有眉目的今天，老百姓不但未能“壶浆以迎”，却“闻风而逃"，这实在是一个非常严重的问题。

回到屋子里，过度的疲乏送我入了梦乡。

醒来，同伴们正在大嚼"油炸桧"。

"咦！那儿来的？难道老百姓都回来了吗？"话还未出口，一个苍白头发，披着件青布大褂的老头儿出现在我面前。真的，老百姓都回家了。

"为了害怕才走的，何以很快的又回转？"

"究竟他们对这一群人作何感想？"

"这一般质朴的人们，对于'抗战'了解到何种程度？"

这几个念头催促我和那老头儿作了一次谈话。

首先我告诉他我们这次到前方的任务，叫他明白我们并不是他想象的那般可怕。所以，在几句比较亲切的话语之后，他立刻对我们表示了好感。

他告诉我，在过去，每次过境的军队，有的对老百姓很客气，很顾惜，但是有一部分弟兄，纪律非常不好，不是强占他们的屋子，便是强迫他们去当夫役，买了东西也不给钱，家里有什么，总完全给他们搜光，因此，大家听到大军开到，便都吓得逃光了。

“军队中政治工作还做得不够呢。”我边听，边想着。

人，渐渐地从各个角落里出来了，老的，少的，都怀着好奇的眼光注视着我们这一群。

“这几个女先生是从几千里以外来的呢，是来收难民的小孩儿的。”老头子代我们作了番解释。

“了不起！了不起！”

“那是做好事呀！”

“真是辛苦这几位女先生了。”

赞叹的口吻替代了好奇的眼色。

于是我慢慢地向他们说明日本帝国主义侵略我们的史实，说明只有抗战，中国才能生存，老百姓才有好日子过；老百姓一定要帮助军队，战争才有胜利的把握。

接着又举出许多例子，证明敌人对我们的凶残狠毒。当我讲到大批的壮丁被杀戮，或被驱上战场屠杀自己的同胞；无数的儿童被杀或被掳往日本；无数的妇女被蹂躏，甚至五六十岁的老婆婆亦不能免时，愤怒之火在他们的心底燃烧起来了。

“去！打鬼子去！”

“干他一个痛快，省得将来受他们糟塌。”

“不去打鬼子，不是人！”

几个年轻人愤慨地叫着。

“有那样的事吗？我这条老命也不要了，非和他拼一下不可。”一个苍老的声音，在人丛中传来。我抬起头来，映入眼帘的是一个斑白的头，一双血红的眼。

我的眼睛潮润了，我觉得这时站在我面前的不是一个年已古稀的老头儿，却是一个有热血，有勇气的青年，我从心底里笑了。

谁说老百姓是糊涂的？

谁说老百姓是无用的？

假若，能启发，并组织，且领导之；他们，都是复兴民族的生力军。

“这几位先生好，肯详详细细告诉我们。这里的保长、甲长，他们只知道向我们要钱，什么捐呀捐的，今天一角，明天五分，又不给我们讲个明白。早知道为了老百姓自己，我们就是苦，还不立刻拿出来吗？”一个壮健的中年人，和他旁边的一个小伙子谈着。

“可不是吗！每一次来收费时，他们总是摆出一付了不得的架子。就说这钱是我们应该拿出来的，也不能这个样子啊！”

“再说，要我们出去当兵，打日本鬼子，我们不是不愿意，可是也应该公平些才对啊！可是，你猜是怎么一回事：有钱的塞几个钱，他家就可不出人。像东梢头小王家，只娘儿两个，那老娘七十多岁了，全靠小王卖馍过日子。来抽丁了，小王请求保长，让他把老娘安顿好了再去。你知道他们怎么说：‘上面的命令，要人，谁有这闲功夫等你。’就这样把他拉去了。先生，你说叫人服不服？”另一个年轻人痛楚地诉说着。

由于他们的谈话，以及沿途所见所闻，叫我深切地感到一般的所谓民众动员是在怎样的方式下进行着。抗战以来，固然有不少热血青年下乡工作，但不能普遍地分布于每一个村庄。透过当地的政治组织，本是一个最简便最易见效的方法，却因原有工作人员对政治认识之不够，以致反招来不同的结果。这在负责民运的人员是应该加以十二分注意的。

慢慢地人越来越多了，一个个怀着疑惧的陌生的脸，经过一番诚恳的谈话后，都轻快地点着头笑着走开去。

“民众动员的工作太不够了。为了争最后胜利，争取我中华民族之自由解放，我们必须尽所有的力量，最大的速率，动员每一个民众，直接间接参加到这个伟大的斗争的阵营里来。”望着一个个背影在路角消逝时，我这样自语着。

踏破敌人的封锁线

胡守愚

离徐之前

敌人千篇一律的战术，每次进攻城市之先必肆惨绝人寰之轰炸，殆欲假空中威力，动摇后方军民的镇定。五九以后，敌机轰炸是一天一天的加甚了，徐州的安宁终因敌机的轰炸而消失了，一般民众天方破晓便扶老携幼提水壶粮袋向野外奔驰，旅馆中的侍役，也毫不留情的，惊醒初夏清晨正寻好梦的旅客。预料中的城内大狂炸，终而在汉奸指示目标之下，十四日遭了空前的浩劫。繁盛的大同街，成为一片瓦砾之场，交通银行的钢铁水泥的墙壁，也被破弹片射击得百孔千疮，徐州唯一整洁的花园饭店也被炸得七零八落。天主堂附近的伤兵医院炸中了，电灯厂、邮政局、火药库、动员日报馆和东关的民房都化为灰烬了。浓烟惊动了一切在云龙山的避难客，弹药爆炸声更震动了每一个关心抗战的人们的心脏。徐州毁灭了，民众再无法镇静了。逃亡就是一切，家家户户都奔向乡间的亲朋家里去。

市况零落了，电讯不通了，新闻记者报导新闻的工作也无从开展了。当夜关麟征军长有专车赴归德，遂决定到归德布置新局面。虽然我们认定鲁南战局尚占优势，陇海切断企图殊不足虑，但以工作为中心，倒也无妨移动。

空袭警报来了，全城黑暗中特别来得混杂。阴历四月十五夜的月亮，也似乎为我们发愁，仅惨淡地照着人寰。卡车于解除警报以后，满载着行李和我们新闻记者，颠簸地由南关到北站去，一路上挤满了牛车、骡车、手推车，和男的女的老的少的落荒群众。他们都是匆忙地仓皇地，借着今宵朦胧的月色，走向各自认为安全的地方去。到了此刻我的内心才滋长了离开徐州的决心。路是这么狭，人又这么挤，好容易才到达了连日被狂炸的北站。大树折断，房间倒塌，败瓦颓垣，历历在目，一片荒凉和凌乱的景象，并不因暮色苍茫而减少凄凉色调。血债只有用血来偿还，在将离开徐州的时候我坚决地牢记着。

等了好些时候，通车的希望似乎消失了。据说陇海线在砀山以东的李庄发现了敌人的便衣队。时间一刻不停留的消逝，车子只好再开回城内。动荡了的心，无论如何都安定不下去，最后决定轻装徒步，正当皓月悬空，夜凉如水的清宵，在颠簸不堪的卡车中载着十多位新闻记者走向三十里外的山村宿夜。陇海线已于十二日晚间切断，到了今宵，还有这批想乘专车西去的人们，谍报工作的不灵，可想而知。

我们的队伍，预定十五日晚间到黄口西北地方去宿营。到了离开徐州七十里的杨楼，发现了西线情况不佳，不敢轻进，当夜移向西北三里的郝集。老百姓殷勤问讯，壮丁队表示事先不知我们过境的歉意，民众是多么真挚啊！

关军大部西行有日，军部亦以赶上总队为目标，原定十六日下午四时开拔，终因敌人的炮声机关枪声愈来愈近提早绕黄河古道西行。下午二时庄内强悍的壮丁已英勇地对着敌人骑兵扫射了。鲁西、豫东、皖北及其毗连的江苏境内陇海线上的民众，素称强悍，枪支亦复不少，唯以已往没有优良的组织与训练，提高他们抗战的积极性，保卫他们的家乡，以致不能发挥他们伟大的力量。像郝集的壮丁虽然英勇抗敌，可是没有广大的民众组织为后盾，结果还是可想而知，何况没有政治认识的原始抵抗，必将终属徒然呢！

出了郝集北门，夹杂着三十师的新兵，向前驱驰，一百二十里的艰苦急行军，谁也不落后。我跟着五十二军的工兵连，脱离了同行的伴侣，等到五点半钟才发现又向徐州转进了。此地离徐州不过四十里，炊烟一缕缕地上升，细雨增加了夜幕的深沉。工兵连长感到茫然，殊无赶上特务连的信念。我和几位不知名的朋友，决定连夜赶回徐州，挽回我们最后的命运。

重回徐州

四十里的途程，以最急速的步调走了六点多钟，北方的“里”真不堪想象。炮声，灯光，汽车声四面出现，当时抱着纵使死也得回徐州的决心，所以迈步向前了。疲乏饥饿，阻止不了每一个人求生存的意念。过了九里山，火车头的吼声频传，若是我军今宵撤退，到了空城的徐州，不为俘虏，也将饿死。本着“近乡情更怯，不敢问来人”的主旨，加速步调到了北门五省通衢的牌楼下面。

“你们是什么部队的，到那儿去？”团防大声的喝问。

“到南关去，”我们随便应了一声。

“城内的部队统统开拔完了。”霹雳似的一声使得人人失色，一夜来我最怕听见的话，终而出现了，那时无暇思索，唯有坚决向前。沉默，绝望并没有阻止我们最后的冲刺，李司令长官“非至兵临城下，决不撤退”的誓言，相信还没有到最后的阶段。过了大街，穿进小巷，到了昔日熙攘的中山街和大同街口，夜色凄凉得如地狱，绝无人影，别了两天的徐州，已经不堪回首了。站岗的警察没有了，戒严的痕迹也丝毫没有，到了长官部所在的文亭街，看见前面一群黑影移动，毫不受到留难，与平日戒备森严的情形一比较，真觉得有些尴尬。

到了长官部幸亏没有撤退，朋友虽然没有找到，总算有了相当的保证了。

星夜南迁

段庄是西关外的一个小村子，为了要得到很好的联络，十七日拂晓我就出城去了。队伍沿着公路前进，搬家的也继续逃亡。徐州虽然已经成为空城，而李德邻先生还是异常镇定。甚至命令城外办公的人员，搬回城内。敌机飞得很低，李长官居留的花园中了炸弹，炸伤了两位参谋。李白二公依然回到司令长官部用无线电指挥反攻。大炮已从长官部屋顶上掠过，呼啸声与爆炸声震动了每一个人的心，可是李白二公仍然处之泰然。这种镇定的态度，在最后一周中谁都感到兴奋，稍有忙乱，则鲁南二三十万大军，必将被敌人歼灭大半。李长官以从容不迫之精神疏散各路大军，然后本身方行撤退。此种临危不惧牺牲之精神，的确为独当一面之长官，所以应有的态度。徐州撤退比诸已往各战场牺牲得特别小者，固然与威力奇袭和英勇冲锋的将士有关，但指挥官之进退亦殊大有作用。

浩浩荡荡的司令长官部人员，六时半齐向东关进发，经过中山街，转进大同街，一路上看见被毁的民房，尚余灰烬，高楼大厦亦半成废墟。马路上看不见半个行人，天色似乎特别暗淡，初夏微风也带肃杀之气，云龙山上但见乱石纵横，城内是死寂得连狗吠声都没有。不过出了东关，陡然看见穿着红卍字会制服的挑夫，沿河挑着一二十担行李向城内而进。城内已经寂无一人了，红卍字会倒不知从那里跑出来表现如此活跃的姿态。据说该会在鲁南一带，会徽可卖上二百元一个，因为备此一物可以出入敌人占领区域，残暴的敌人是否见了会徽就会如所宣传的仁慈，那还留待事实去解答。不过徐州城内的确也曾有过加入红卍字会可以保证安全的传言，一个慈善团体有此权威，这也总算是中国慈善团体的光荣（？）了。

被敌人一连轰炸七八天的东站，周围三五里简直没有一片干净土了。横躺在月台上被炸死的同胞，在黄昏时候的冷风吹拂下，使我们后死者唯有感到愤怒。法西斯的文明轰毁了我们和平的都市，屠杀了我们无抵抗的同胞，还要掠夺我们的土地。徐州，这幽雅静穆的古城，再多几天又要展开最野蛮最无耻最残暴最毒辣的屠杀劫掠，奸淫和焚毁了。

离了东站沿着津浦路南下，回首徐州，外观依旧而人事全非。

天色渐渐地黑了，碧空中只有疏稀的小星，伴着突围的我们前进。三十里的三铺车站，直到十一时半才到达，一路铁轨的完整和三铺车站车辆的挤拥、军米满堆的情形，我们感喟殊多。我们的铁路工友不论在粤汉、平汉以至陇海、津浦，都在敌机轰炸后英勇地随时修复，交通不致有中断之虞，的确值得致最大之敬意。津浦线铁道之完整，亦为大家所共见的事实。不过今宵情势，迥非昔比，我们已准备全师而退，不久的将来，正是敌人庆祝打通津浦线南北联运的时候。完整的铁路，正是敌人资为利用的宝贵工具，此时的破坏，恰是焦土政策的要图，可惜我们并没有做到。胶济路的一二万工友，曾在徐州要求领导训练武装起来。且曾提出他们最熟悉地形，最了解铁路的要害，他们知道唯有收复了失地，整个铁路交通恢复了，然后才能保证生活。他们愿意在铁路两旁游击，破坏交通，终而没有达到他们预期的目的。

津浦路的工友的情形也是一样，结果今宵兵临城下了，赤手空拳的路工，大概忍着饥寒都已走上逃亡之路，这是多么可惜！完整的铁路，无数的军头车辆，没有全部毁掉，留为敌人所利用，宁非失策么？

次晨天色尚未发白，火车仅仅跑了一站在曹村停下了，因为前面车辆拥挤，无法前进，只好跟着潮涌似的人群徒步行军，坚强自己的意志准备着艰苦的长征。

到了夹沟，宿县的电讯不通了，预定集合的地点只是隔宿县一站的符离集，不免踌躇起来。路过李山村才探询出到东南十多里的孙家寨去集合。

长途漫漫

半文不武的秘书副官和来宾，星夜被配到七军军部，明晨随军长同行，立刻由 × 参谋率领走向南方五里的王塘子。晚风急，吹醒了睡眼惺忪的征人，疲乏饥饿萦绕着七十多位手无寸铁的书生，村庄既是这么小，又早为士兵同志所占领，唯有忍着心情，倒地便睡。人生须要锻炼，大时代中必然将锻炼出一群吃苦耐劳百折不挠的有勇气有杀力的战士，来完成中华民族解放战争中的艰巨任务。谁说书生就不能在大时代中变成英勇的战士呢?

十九日的清晨开拔了，一路村庄多数看不见老百姓，半由于炮声威胁，半由于训练不够。我们的军纪虽然很好，可是只能做到公平交易，不能积极地发动民众与组织民众。

部队整齐的英勇的向南推进，绝不计较前路的敌人，反正突围总不免一战。讨厌的还是敌人的飞机，整天在头上飞来飞去，阻碍着我们的前进。可是丝毫不能动摇我们英勇将士的决心。

到了平行宿县东边二十里的地方，在烈日照耀之下，遥远地望见灰白色的浓烟冒起，宿县又成焦土了。浓烟是东面北面都有，敌人不管我们的乡村与城市，都一样的看待，只要他们认为发现了目标的地方。敌机在北面三十里的地方投弹了，炮声又复隆隆地响，英勇的士兵依然坚决地前进，敌人只能摧毁我们不设防的城市与乡村，他不能夺取抗战将士的勇气。

时间已是六点了，敌机还是不断来袭。我在一个小村中停下了，好些老百姓都来问讯，真挚、热烈，是他们给我的印象，他们都说部队纪律很好，一位老太太说："大约有十年了，那次经过此地北上的队伍真好，对我们说，又帮助我们。"民众的恩怨是清楚的，北伐军的好处，永久地印在他们脑中。此地有一种怪现象，就是七八岁的女孩子还有缠足的，民国已经二十七年了，县政府以及乡村工作者究竟所为何事啊！

穿过了西寺坡车站，已经对面不见人了，在茫茫的原野中，过了一村又一村，正如在大海中去寻孤岛，向导是我们全军的命脉，民众的作用真是大极了。到了韩二庄已经午夜时分了。

炮声机关枪声四面的响着，步枪声也密集着。情况无法判明，电话也接不通，固镇的国军，又已撤退，颇费踌躇。指挥部为了安全，于清晨（二十日）三时决定立刻南行，昨天已经走上百里的士兵，有些懒洋洋的不愿起来，的确是太疲倦了。看见为中华民族解放战争断头流血，餐风宿露的情形，后方花天酒地，醉生梦死的人们总应有所觉悟了。过此而为权利之争，削弱抗战的人们更不足论矣。

清晨平安地过了浍河，宿营于一个小庄子上。

冲破三关

休息了一天准备今晚一百二十里的急行军，军长集合了部队作一番恳切的训话："今晚是突围中的最重要的一夜，大家要准备坚决的应付眼前的局面，不准吃烟，不要讲话，前后不要失了联络，留心前面的人左臂上的白巾；马嘴套起来，不要让它嘶叫，发现了情况，不要慌张，敌人放枪，我们决不回炮……"士兵的情绪都极紧张，抱着坚决的心，等待开拔令的到来。

已经是十一点半了，× 集团总部的开拔令才送到，于是立刻出动，因为今晚与明晨要渡过两道河和一条公道，在在有和敌人发生遭遇战的可能。士兵与长官都用急行军的步调前进，毫无声息，在暗淡的月色下移动。今晚的将士行动，特别来得敏捷整齐，士气亦表现得特别旺盛，似乎唯有敌人在前更可以表现得出我们士兵特别兴奋的样子。

将近天亮的时候，向导告诉我们离北淝河只有五里了，敌人在三日刚从此地撤退。可是谁也不以此而怀戒心，到了北淝河左岸，东方刚刚发亮，桥小人多，挤成一团，不能顺畅地通过，有一部分友军从东边涉水而渡。忽有巨响自东方传来，大家都不免震动，部队立刻振作精神，准备应付，调查结果原为友军的手榴弹走了火。部队仍然继续过桥一直向涡河推进。

一位中年的向导异常愤慨地报告敌人入乡搜索女人的事情，据说敌人的无耻兽行，非普通人所能想象，五六十岁的老太婆，七八岁的女孩，都不能幸免。购买食物常不用钱，还得好好的奉侍他们，否则就要挨打。

我们走的是小路，在朝曦初上，露珠尚未消失的时候，已经有不少的女同胞躲避在麦田中了。

“不要怕，是咱们的队伍。”向导大声的告诉她们。

“咱以为鬼子来了，天呀！”一位头发大部已经霜白的老太太抬起头来颤着声音说。脸上带着惊喜的表情。

走了不远又是一堆躲避敌人的女同胞，她们听见是自己的队伍，都伸出头来看，她们简直成了惊弓之鸟。事实是最雄辩的宣传，敌人所到之处的奸淫掳掠，已经是世界共见的事了。

一位年纪约摸五十岁的老百姓，挑了鸡和鸡蛋、面条等物经过我们的跟前，士兵问他的价钱，他坚决的要我们拿去，不肯出价，结果虽然没有成交，可知被敌人蹂躏过的民众对于国军的期望是多么热烈呢！民众是多么可爱啊！敌人永远不能征服中华民族的心，民众永远是我们中国的，可是没有组织的民众，对于敌人亦唯有敢怒而不敢言。

阳光照遍了大地，照在成单行的队伍身上，充分显露出血肉长城的模样。我们要趁早冲过涡河，突破怀蒙公路，所以马不停蹄地向前推进。枪声和步枪声夹杂着由东边传来，响声很近，我们的队伍挺着身昂着头坚决勇敢向前进，八点多钟到了涡河左岸。部队有的涉水而过的，有打从桥上走的，桥小人多挤得像蚂蚁遇着障碍物一样，团集在桥头的一边，有马的加鞭浮登彼岸。

涡河杀敌

平安地渡过了涡河，大家都松了一口气，同路的友军，已经陆续进发了。我和周军长骑着马由小径想横断怀蒙公路，约摸将近公路一千公尺的地方，东边的枪声响了，子弹正打从我们头上掠过。接着又是一次排枪。

军长为着指挥的关系，遂下马退后集中部队。西面的敌人也有了动作，枪声来得更密而且有机关枪声。周军长分兵抵抗，八桂子弟咸奋勇争先，向两翼搜索前进，杀声震天，连我们这初上战场的徒手群众，亦大喊冲杀。

两翼的搜索冲锋，已经沿着麦田前去了，我们遂由中路且战且进。八架意大利的重轰炸机正对着我们头上飞来，幸亏没有发现目标，不然可有点麻烦。

离了公路到南边一二里的村庄，我军布置了阵地，再分兵向前搜索。敌人的枪声渐渐稀少了，原来敌人最怕死，尤其是步兵与步兵对抗的时候。西面的枪声虽然很厉害，那是已由 × 师长率领卫队一连抵挡住了。

时间已经十一点多了，东面发出了大炮和机关枪的声音。我军仍然守定阵地，掩护后来过河的部队。敌人便衣队由一千多公尺的麦田中跑来，被周军长亲放了三枪吓退了，人影没在麦田中。

任凭敌人的大炮机关枪乱开，也不过壮壮他们自己的胆子而已，敌人并不敢冲锋。西面的敌军增援了七八车，直驶而来，被 × 师长亲发平射炮，一击而中，头一辆车子打了一个鸽子翻身，再发第二第三炮时，敌人和汽车已似乌龟模样赶快掉头而走了。

中午时分，我们的英勇将士听到敌人的炮声没有了，也就收回了队伍，一个也没有受伤。小小的接战，以胜利的场面，结束了突围紧张的一幕。我们的士气，并不因为整天没有睡觉和吃饭而减低；相反的，遭遇了敌人反而消除了疲乏，恨不得有比较更伟大的场面。我国军队的吃苦耐劳和英勇行动，敌人是决不能想象的。

浩荡西行

蒙城东南的一个乡下黄隆集，我们休息了一天半。敌人的飞机发现了目标，整天的在一千公尺以下的高度盘旋，投掷炸弹和用机关枪扫射，墙上的泥土都震荡下来了，我们还是处之泰然。敌人已经对我施行焦土政策了，逃，是断然不能幸免的。

廿二日晚上开拔，次晨二时方抵蒙城南方的楚村铺，月色朦胧中看出炸毁民房无数。敌人虽在偏僻的小乡村，也不顾放松半点野蛮的屠杀政策。

晚上继续向阜阳进发，过了三义集，一直跑到天亮到了凤台县的郭家寨。这已经是后方了，所以民众没逃亡，然而也正在准备着。

廿四日天还没有亮，就向马家店进发。到了目的地，就听见阜阳城于昨日被敌机炸毁，为了军部驻守此处，我随即设法往阜阳。停在马家店的汽车，也被汉奸指示了目标炸毁了三辆。汉奸是抗战中的大问题，徐州城内的被炸也是先一天被汉奸指示了目标的，守卫宿县的长官愤慨地说："敌机不在宿县城内轰炸，偏向城外树林下投弹，如果不是有汉奸，敌人怎会知道我的特务连在那里呢？"汉奸是一件政治问题，民众生活能够改善而又能把民众加以组织，决不能逃于天地之间，更何能肆虐？

到了阜阳已经是晚上八点钟了。阜阳城内的火焰，异常猛烈。据说今日又有敌人轰炸机大批投弹。为了特殊机会附搭了黄高级参谋到信阳的车子，离开阜阳的时候已经是下半夜一点钟。城内的火光烛天，离开了一二十里，回首北望，仍然满天通红。阜阳城出来的人说，城内已经悉成灰烬，比任何地方都炸得悲惨，简直再没有一间完整的房屋了。这种残暴的狂炸，充分表示了"日本的文明"！

涡河的掩护战

侯　甸

我没有身历徐州突围这一近乎奇迹的战斗，我却参加了掩护徐州撤退的战争。后者对于前者是有着某种成败的决定作用的，我愿意谈谈它。

亲爱的读者们！请摆开你的安徽省详细地图吧。

首先，我应该告诉你们，我们走了怎样的路线去抢救蒙城。当我们这一支队移师寿县下塘集的时候，就接到了蒙城的急讯，而且命令要我们这支队负起解围的责任。于是不顾大雨、路上泥泞和敌机的狂炸，我们急行军，四天走了三百六十里，仅只达到蒙城县的大兴集，先头部队已经在乐土镇与敌人作着遭遇战。我们不曾抵达蒙城，蒙城已经失守。× 路军的整团人和 × 副师长做了壮烈的牺牲。一提起蒙城来，我真不能忘怀这千百忠贞的黄帝儿孙。

敌人既得蒙城，更举兵北上，攻克了永城，企图与陇海路北的敌军会合。而迂回徐州的“色当”战略又一次抄袭成功。徐州早已被敌机炸成了残砖断瓦的邱墟，失却了战略上的意义。于是在中国的抗战史中，加上了一页徐州的英勇突围。

夺回蒙永公路上的三据点

人轻装，马衔枚，是一片漆黑的夜。

“司令官的命令，不准谈话！”从先头传下这一道口头命令。人们肃静了，只有足音和蹄响。这是战地行军的紧张场面。

战争给予我的刺激，像喝了一杯很浓的咖啡。

现在我们的任务是要夺回蒙城到永城交通要道上几个据点，使永城方面的敌人断绝了后方的接济，而减少对徐州的威胁。这几个据点，在这次徐州突围有计划的撤退中，实在有着很大的意义，而且是必争之地。

两个师，同时出发，形成犄角的形势，互为警戒。

离开敌人只有几里路，预计通过涡阳县西洋集的时候，一定要有几个钟头的攻击，然而敌人还不曾占领它。半夜十二时，我们安全通过了，于是轻易地继续北渡涡河。

第二天凌晨，是暖和而晴明的日子。枪声鼓起了人类的雄心，炮声震耳欲聋，× 团袭击着第一个据点——曹市镇。

约莫三小时的激战，敌人向蒙城退却。

占领后的几个钟头，敌人的运输队并不知道他们的部队已经撤退，十多部装甲汽车耀武扬威地飞向我们占领了的曹市镇。我们的重机关枪已经密集在街市的尾梢，等待着这群送上门来的野兽。

“嗒–嗒–嗒……”机关枪吐着好多条火舌，交织成交叉的火网。这一种出其不意的迎头痛击，最初显现了慌忙无措的周章，然而继着，敌人的指挥官命令他们冲锋。但是你应该听闻过“新兵怕大炮，老兵怕机关枪”的话吧。就是说机关枪火力的厉害，冲锋，只是徒增他们的死伤。

终于，这一群疯狂的野狗逃走了，留下一堆堆糊涂的血肉和一车车优渥的礼物。

当天下午，在司令部的面前，几匹高头大马，敌人的，拉来了几架满载着战利品的车子。枪、弹、脚踏车、衣物、旗帜、指挥刀、马铃薯，还有许多文件……。连排下面的弟兄们还获得了手表、自来水笔、毛巾、牙刷、牙粉……和一切急需的日用品，在前方，我们正缺乏它们。

围着战利品，士兵和民众们潮涌过来，副官则吆喝着把他们赶开。因为你拿我扯，使得副官们无法点收。

参谋长的电话铃不间断地响着，各团报告着胜利的消息。× 团克服了檀城集，× 团又克服了芮津集。参谋长微笑地将电话机放下，把这些消息转告给我们的支队司令官。

区司令官用力地抽了两口香烟，他开始说道："我们的任务算是达到了，占据了这三个据点，就是把敌人的前后切断了。现在应该马上下命令叫他们死守着。"

掩护高级首长南渡涡河

在战争中，我渐渐忘记了对自然的鉴赏。天边虽然满泛着彩红的晚霞，却在心里老记着刚才的重要议决案——割麦只许剪穗头，不准连麦杆刈掉。因为徐州方面正有千百万的军队打从这里经过，敌机来袭时，很需要麦田来作掩蔽。我方从高炉集开完了联保会议回来，离司令部还有两里多路，我听闻了紧急集合的号音。

出击蒙城北面的板桥集

在黑夜中，朝东去。经过刚占领回来的檀城集、芮津集，深入敌人的势力圈内。一句话，那里是四面受敌包围的地方。这说明了我们展开着一种不可思议的混战，也证明了深入敌人的后方并不是一件困难的事。

我们踏着敌骑蹂躏过的土地，现在是克复了的河山。当地一个老头儿告诉我：这里有一个村庄，曾有八个女子给敌军骑兵拉回去奸淫之后，让她们赤裸裸地逃回来。我压抑着心头的怒火，等候在今晚的攻击中尽情发泄。

现在，我们的任务是相机占领板桥集，使敌人不能不从蒙城抽调大量的兵力来抢救。减少了蒙城方面的敌军，我们从徐州出来的高级首长以及许多部队就可以从容不迫地渡过涡河。

在我们右侧卫的 × 团，开始攻击了。敌人开出了坦克车，想来吓退我们，并没有多大的作用。又有不少骑兵想迂回到 × 团的左方侧击，我们另派 × 团去兜截它。

由于我们攻击精神的旺盛，打到第二天下午，敌人用坦克车装甲车来掩护撤退了，甚至有许多是换了便服逃的。谢谢他们留下了两大车炮弹、步枪弹。这两部装甲车是被我们的步枪打坏的。

晚雨潇潇，战事又已经沉寂，我们打算休息一会儿，睡他一觉吧。

然而，涡河南岸发来了电报："× × 等已安然渡河，该支队任务完毕，速返原防……。"

伟大的任务达成了。循着来时的原路，回到原来的防地去。一切没有改变，只是在我们的行列中多了几辆牛车，上面堆积着敌人赠给我们的弹药。

我对一位参谋说："这回的作战正是运动战的好样本，敌人一定感到我们的行动神出鬼没。而且我们得到了运动战是一种最有利的战略的证明。”

我们回抵熟悉了的刘庄，天亮了。我们看见了胜利与光明。

二七，六，二〇，汉口

敌围中的妇人与孩子

曹孟君

（一）采树叶的小姑娘

去徐州的路上车行到了砀山，敌机在头上盘旋，旅客都陆续走到树林，我们也到一个小村庄里。

刚一走进村庄，发现树枝间一个小姑娘正在采着树叶。

这不是桑树，这叶子大概是采来制药用吧？我心里在估量。

“你采这树叶做什么？”同行的发问了。

“吃呀！”

我们都有些惊异！真的吃树叶？！

叫下小姑娘来，使我们更奇怪的是八九岁的小女孩，脚已经裹得尖尖的了。

“树叶能吃吗？”

“没得吃，没法子呀！”

“种的粮食呢？”

“去年的完了，今年的还没有熟。”

“为什么要裹脚？”

“……”小姑娘望望我们的脚。

“不裹脚没有婆家要。”立在旁边的一个中年妇人答得很干脆。

我们看看围着我们的女人，从四五岁的小姑娘，到五六十岁的老太婆，没有一个不是裹脚的。

“你们有人认识字吗？”

“娘儿们那会识字！”她们觉得这句话问得太外行了。这个村庄并没有一个学校，几百口子认识字的没有两三个。

“日本鬼子来了，你们准备怎么办？”我们把话头转到战事上。谈到日本鬼子要来，她们的面色严重了，但她们说不出办法。

在我的面前立刻显现出多少女人与小孩在敌人的刺

刀下挣扎呻吟的情形。

火车的汽笛接连拉了两声，我低着头离开了她们。脑子里留下一个问题：这群裹着小脚没知识的农村妇女到底该怎么动员？

到徐州的第三天，报上登载着砀山车站附近的小村庄都被敌人炸平了的消息，那些妇人与小孩的质朴的眼睛，与一堆血肉模糊的肢体在我眼前交映着。

（二）知识妇女那里去了？

到达徐州。街上有的女人大多是军装了的。我们成了目标，虽然我们着的只是普通的蓝布长衫。

因为进行儿童的收容工作，我们每天都在大街小巷里转圈子。一般市民妇女很少愿把小孩交给我们的。是中国的家族观念太深呢，还是我们的宣传方法有问题？对于我们自己的工作能力和方法怀疑起来了。

我们想找本地知识妇女忙工作。

走到 ×× 小学：

“这儿没有女教师，女教师都走了。”

到铜山县妇女会：

“这儿只有两三位先生，都很忙。”

到妇女动员委员会去吧，请她们设法。她们是热情的，慰劳伤兵，办妇女训练班，举行家庭访问，组织儿童工作团。但是人少事多，她们太忙了。

“怎么不多发动知识妇女帮助你们工作呢？”我们以为她们应当多花费点精神在更广大的动员全战区的妇女工作上。

“知识妇女吗？除了我们外，差不多都走光了。”

“留在这里的多半是字都不识的妇人们。她们一向在狭小的圈子里生活惯了，日常生活以外的事，她们都没有什么兴趣，向她们说明也不大容易了解，而应当负责教育她们，组织她们的人又退到后方去了，我们真觉得这工作没法做。”工作的人们在诉苦。

“这儿的决定，各地妇女委员会能执行吧？”

“能执行？命令下去，下级常常会不理睬。我们只是一个计划和推动的机关，推动下级去做，下级不做，我们也没有法子。政治不单纯，下级政府很少是了解和赞助民众运动的。”

“妇女领袖为什么不到前方来领导工作呢？”她们常常渴望着后方有人去帮助她们克服许多困难。

“后方也有许多工作要做。”我自己也觉得这答复并不能使她们满意。

“汉口不是有很多人么？前方实在太空虚了。我们当然不是说只有前方工作重要，但让它空虚总不是合理的。似乎应当有计划的分配工作人员。”我们很同意这位同志的意见。

（三）为什么“军人免来尝试”呢？

“到台儿庄去看看我们荣誉的战场吧！那附近还集中了不少的难民。”由 × 的提议我们一早就向台儿庄出发。四个钟头到达离台儿庄只十几里地的孙集团军指挥部。打扫了身上的泥土，我们走到难民群中做收容儿童的工作。

我们说了些敌人屠杀劫掠儿童的事实，说明我们代为保育的意义、方法和目的。

“先生们，你们要那么多小孩做什么？”

“我们不是要你们的孩子，这是为你们和孩子打算呀，怕日本鬼子来了，你们带不走，丢给鬼子们，他们不杀死就搬到日本去，那时你们才永远找不回自己的孩子来呢！”

“有那样做好事的先生们么？”她们的一生，痛苦经验太多了，被剥削受压迫。这样毫无条件的意外的好意，倒反而使她们不敢相信。

“到汉口去吗！我们怎么到得了汉口？”她们听说要把孩子运到汉口去。

“是呀，那这一辈子怕也见不了面！”另一个妇人拍着胸前的孩子附和着。

“我讨着吃，只要有一口粮食活命，死也不丢开我的孩子。”一个有着三个孩子的女乞丐，她们一个也不肯交给我们。

知识限制了她们的了解和判断，虽经我们重复地解说，但她们怎么也舍不得把自己的孩子交出带到辽远的地方去。

“我的这个大孩子交给你们吧。”好久没有人开口，一个中年的男子把他八九岁的孩子牵到我们的跟前。他是当地少有的受过一些教育的人。我们感谢他给了我们一些勇气。

我们在路上一边走，一边谈着怎样才能说服这些农村妇女。

吃过饭，孙连仲将军给我们讲完前方军事的情形以后：

“白先生有一个问题要你们说明，尤其是女同志。”我们彼此看了一眼，“什么事”？

“为什么军人免来尝试呢？”一声响亮的笑，白健生先生从外面挪着一张报纸走进来了。报纸递到我们面前。我们抢着看他手指着的一段新闻。原来是一个自称受过高等教育的女子的征婚启事。上面列举了许多条件，末了声明：“军人免来尝试。”我这才明了要我们说明的问题。

“为什么军人就没有资格和大学女生结婚呢？”

“为什么没有咧？北伐的时候，中国的青年女性不是顶爱挂斜皮带的革命军人么？”

“日本德国受过教育的女子，特别倾慕军人，也许是中国军人不如日本或德国的军人吧？”白健生先生挑战似的追问。

“这倒不是！他们的军官是疯狂了的法西斯的刽子手，我们要是他们国里的妇女，决不爱这样的家伙。”英像受了刺激立刻回答。

“中国的军人拿自己的血肉来保卫民族，抗战以来已经有了多少不朽的功绩，这种英勇的行为全国的人谁不尊敬？岂止于女性的崇拜？现在的女性和中国军人结婚是光荣的。”另一个女同志热情的说。

“那么，为什么那位征婚的小姐她却偏……”在座的某先生认为我们没有说到某小姐本身的问题，但他话还没有说完，华就接着——

“是的！正像男子中有儒弱的一样，受过教育的妇女中也有落后的自私的，但，这只是少数。真正进步的大多数的女性，她们不独知道怎样使自己的恋爱不违反为了抗战的原则，而且她们正为了抗战整天整夜在工作着，她们绝对不会把个人的恋爱问题看得那么急迫的！”

“是哦！中国的女性要是像某小姐一样，那我们在前线作战的军人都要灰心了！哈！哈！哈！”笑着的两位将军对于女同志的答复表示满意。

"报上登载这种启事，也不应当。"在座的田汉先生以为不应当让女同志们单独负责，他自动表示要纠正报上的疏忽。

（四）轰炸下的孩子们

敌机在轰炸。

东车站，北车站，常是一次炸死几百人，房屋倒塌无数间。从五月八日起，每天如此，而且轰炸的区域一天天地扩大了。东南关都投弹，捉到汉奸供称这三天要大规模的轰炸城市。意大利的重轰炸机多的时候一次来五六十架。形势一天天紧急，父母被恐怖催逼着，到十号才把孩子们开始三个五个的送来。徐州附近的贾汪、汴塘我们派出的工作人员一批批把孩子带回来了。邳县、沛县的也三十五十的集中了。父母亲自把子女交给我们，多少叮咛，多少恳求，父母的心沉重地触动着我们的心，话别后孩子们的眼泪把我们的眼泪也引下来。

"我们不能辜负他们！"

“早点都不来，现在一齐都来了，叫人怎么忙得开。”英一边给孩子缝证章，一边埋怨。

出乎意外地几间房子只在两天之内就挤满了。盖的被、铺的席、饮的水、吃的糖糖，我们通宵达旦的张罗着。五六个人没有人想到疲倦，面对着一堆堆的小孩，他们的本身在鼓励我们。在这个世界上有人能想到成群的孩子会是叫人憎厌的吗？他们衣服穿得破烂，身上肮脏，但他们一对眼睛却是异常清朗的。有些是小市民的受过小学教育的子女，有些完全是农民的子弟。但他们都是很自然的愿意听指挥，守秩序，没有乱哭乱叫的事，再劳苦些，我们也不会有丝毫反感。

“你看那个孩子，圆睁两个眼睛，真可爱！”

“那一个的面貌很清秀，我喜欢他。”

“那个会照顾旁边的孩子，他是一个小干部。”做救亡工作的人时刻都不会忘记干部问题。阿华已几次的提到某某孩子可以成为小干部的话了。

“呜——呜——”

“吁——”口哨警戒孩子们：日本鬼子的飞机又来了啊！

"不能说话，不要动！"嘈杂的声音立刻沉寂下去。

接连着二个钟头敌机不断地轰炸，孩子们在恐怖中睁着两个大眼睛，静悄悄地挤在一起。我们的心比他们更紧张。

"万一一颗炸弹落在屋顶上呢！？"不敢想！

在敌机偶然离开徐州上空的很短的时间里，我们叫小孩们出来活动一下。活泼的表情又回到每个小孩的眼边嘴角。没有操场，他们围绕着屋子转圈子，跑步。大一点的小学生充当队长，"一，二，三，四"，我们也跟着孩子们叫。我看看英和华，她们在甜蜜地笑。

（五）惨痛的纪念

必须快送孩子们走！

车辆交涉好了，挂在十三号晚上向东开行的一列军车上。大队小队，孩子们的队伍也编好了，队长都是他们自己选出的。候车。× 替我们跑到车站去打听，等候。可是这一夜无开车消息。

十四号敌机轰炸市内，只有我们和孩子们住的西关一带因为有外国医院和教堂，没有投弹。再不能等候了。决计带孩子们离开徐州城。车站不能集合人，那晚间孩子们都排好队等待出发，我们计划着带他们步行出西关，走到二十里地外一个小站上车。行政专员公署派来了几个警察护送。

正预备出发，× 从外面仓皇的跑进来：“敌人已截断了黄口，前天开出的车退回来，陇海路不通了。”

“那么津浦呢？”

“津浦只能到宿县啊！”

“还有什么路可以走？”

“整个徐州被敌人包围了，怎么走？”

“——”看看一长列站着的孩子们，和同去的英和华，这一刹那，我不知道该想些什么！

“要卡车！”忽然想起来。

“对！到司令长官部去！”

我和 × 一口气走着快步到司令长官部。许多官佐在忙乱。

“交通断了你们怎么样？”遇到熟人都低声地这样问，可是我来不及回答他。我们急着找副官长。

“你们两个我总带你们走，其他实在想不出法子。”×副官长说。

“我请你设法的不是我们两个呀！我们还有多少小孩！”

“——”他惊异，仿佛在说现在还谈什么孩子的话。

“火车如果没有办法，请你帮忙找卡车给我们运送吧！”

“卡车绝对没有。”

“我在门口还看见一辆哩。”

“那另有紧急的用处。”他太忙，走了。

长官部同情我们的人是不少的，一个一个去访问，去请托，可是他们也只有陪我们叹息。

“设法安置吧，一乱，小孩就更不得了。”×说。

深夜了，街上的人纷纷挑着行李急步的走。我们走到××医院见马牧师：“有紧急的事哩！”外国老牧师从床上起来。再三的恳求，答允了商量以后明天答复我们。

“能回家的还是让他们回家，分散总比集中好！”一通夜工夫贾汪的、汴塘的、徐州本地的，设法派人分散安置一部分。

我们默默的对坐着，什么话也没有说，沉重的叹息，一声声地。

天色渐渐的亮了。

“出城找长官去，他一定还会替我们设法的！”我们很相信他关心我们的工作。

“这是唯一的办法，只要他答应带着我们的孩子走！”我们又兴奋起来了。出城，走到 × 庄，但他不在那里。得到 × 秘书的帮忙，给我接通了电话：我在电话中迫切地恳求他。“只要有车子开出，小孩车一定挂着走。”挂下电话筒，朋友们彼此热烈地拥抱。从昨天到今天，我们尝到了生平所没有经验过的痛苦，也得到了无法比拟的快乐。

敌机还在头上打转，我们溜进城。路上人民扶老携幼地在走，军队挤满了路，尘埃满天。流一脸的汗，又找到 × 副官长。

“你们不是已经找教会了吗？”他问。

“只要能走，我们还要带着走，长官答应的。”

“你们真固执。不过你们的痛苦我很了解。现在我不能不告诉你们实在的情形。黄口的桥一时修不好。即使修得好，我们是冲过敌人的阵地，敌人在两边夹攻，能不能冲得过去那就难说了。在枪林弹雨中，你们愿意带着孩子去冲火线吗？”

我们彼此看了一眼，心像冰一样冻住了。

“有没有别的法子好走？”好久好久，我问出一句话，明知是没有答复的。

这一通夜是纷乱的。有些人在忙着准备各别地找军队关系走路，有些朋友为我们自己个人走路的事耽着心。可是我们心里比石头压着还重的孩子问题去找谁谈呢？有一个人秘密地对我说：“赶快设法往东南走吧，可以到上海。”我说：“可以带孩子走吗？”他笑一笑回身走了。我真不知道怎样控制我自己的心啊！我还有什么办法没有？我还有什么别的办法没有啊？天！

还是再找教会吧。

十七号敌人的大炮越响越近了！侥幸的是我们还能够趁着清早找到了教会的王牧师和行政督察专员公署的丁秘书。

“我们设法派人替你们把小孩子尽可能分别送回

家。”他们同情我们憔悴的脸，嘶哑的声音，尤其是那多少孩子的生命。

“请你即刻就派人！”英紧促地叮嘱他。

“送不走的，小的，我设法收容。”王牧师更沉重地表示了他的责任心。“想来我们教堂还不要紧。”他又安慰了我们一句话。

谢恩一样的眼泪，三个人同时流了出来。以后又共同商量了如何分送回家，不能送去的如何送到教堂里去的许多事。

就是这天的中午，大炮落在长官部的礼堂角上，花园的树飞上天。卫兵队往外跑步，我们跟着冲出徐州城，“呜——轰”炮弹不断的在头上飞。刚跑到 × 花园，敌机已经发现目标，炸弹一颗颗投下来，一个连副，一个参谋立刻死了，一个士兵炸断了腿。几里路的跑步，我们什么都丢光了，我连仅余的一条毡子也丢在路上。坐在树底下发现为了孩子用的挂在身上的一个口哨，我用手紧握它，一张一张的小脸在我跟前乱转。

“天哪！”我听见自己在干喊起来！英和华跑过来抱住我，她们的眼泪湿在我的仰着的脸上。

“如果我们带着孩子出来，那不更惨了吗？”× 在旁边说。

从今以后，我们还能叫着“一，二，三，四”带他们跑步吗？我们会有一天忘记一对一对的明亮的小眼睛吗？这一生一世再要让我看见任何一个小孩子吧！

是谁给我这永世难忘的惨痛的纪念！？

随鲁南大军突围记

二十军团青年战区服务团　树扬

这原野虽然是如此广大，对于各方面的消息我们却好似关在牢笼里。我们的服务站设在这儿（赵墩车站北边的小村上）有半个月了。工作一天比一天紧张，这由于南逃的难民日益增加，后撤的部队也每夜皆有。最近几天，火车没有东去的，只看见一列一列的车子往西拖，也许是为了敌机轰炸得太厉害吧！我们，都这样想。

十五日清晨，我们得到了移动的命令，这时候才知道铜山西部的危机已经爆发，陇海路被敌人截断了，皖南的敌人从蒙城迂回过来，把我们包围着实行他歼灭战的梦想。我们并没有恐慌，只是沉着而紧张地整理东西。

忽然，一个八十余岁的残废房东，平常从没有给我们讲过话，来到我们面前摇晃地问：

“老总，你们是要去了么？”他慢慢地坐在石板下，眼睛边似乎有着泪水，痉挛地说：“唉！让他炸死就算啦！横竖活着也没有用……”

太阳出来了，我们背起行李和背包，去到四里远的村庄上和弟兄们集合。走在麦田小径上我们不敢回头，因为好多道忠诚的泪流，淌在那些朴实的男女老幼的面颊上，送着我们的背影。

一个艰苦的长征已经降临到目前了，每个人都深深地体验到。据说：今晚急行一百二十里到 ×× 庄，这数目有些惊人，同时也带着点迷惑性，没有尝受过的人，都想亲尝一下这种滋味。于是我们检点行李和背包，把不顶需要的东西都抛了，把被窝拆开棉絮拉去，东西捆好背在身上试试，考量着我们主观的力量，是否能背得动。

天气温暖得使人流汗，大家都想休息一会儿。敌机轰轰地在上空飞翔着，附近炸弹爆炸的声音如同响雷般的在震荡着。在村后的小河边可以看到屋舍起火后的浓烟，直冲到高空，那正是赵墩车站附近，我们早晨刚离开的地方。我忆起了那忠实的可怜的一群，……

黄昏已经来临了。敌机还没有回去休息，从远远的高空中，飘下了一张张彩色的纸头。有一张被我们检着了，上面有难民逃难，屋子被毁的漫画，右角上写着："流离涂炭这就是'抗日'的结果，若不把'抗日'的错误改正过来，中国的社会将变成焦土。"这是在前线，敌人对我们做的宣传，其实这都是可笑而多余的。那屠杀和滥炸的行为早已够暴露法西斯的凶残冷酷和杀人的天性了。

记得是上月月色昏茫的时候，我们走进胜利后的台儿庄；如今又是月色昏茫的时候了，我们却沉着地背着东西向一个方向走去。三十里了，腿子有些酸痛，便坐在路旁休息，让第 × 师的队伍向前走。那强壮的行列，高肥的马匹迅速地行进着。在无声的夜中，除了地面上发出被足板、马蹄、炮轮压榨的声音外，什么也听不到，是够使人兴奋的战斗的夜呵！

天明，抵 ××× 休息，疲倦、饥饿、脚痛……老百姓给我们烧好面条，我们虎咽着。敌机在天空盘旋，一架，三架，九架……睡到树下听吧！雷鸣般的炸弹震吼声，在不远的村庄上干破坏工作。咱们且不管它，晚上还要赶路哩！可是倒霉极了，刚一睡熟就被重轰炸机叫醒，一直到傍晚，还听到炸弹在没气力地鸣着。

*　　　　*　　　　*　　　　*

今晚是夜行军的第四天，我们已经从徐州东一百四十里的地方绕到徐州南九十里的 ×× 集了。三天来的经验，给了生命一个相当的保证，从昨晚到今天上午虽然是一百三十里，我们却没有落伍。这样艰苦的行军，谁吃得消？弟兄们落伍的很多，有的下午方找到扎营的地方。只是我们胆子小不敢放松半步，实际上我们若是落伍了，一辈子也不能追到，因为休息半小时以后，腿子反而不能移动。

我们是逼近敌人的警戒线了，今夜的行进，有着如下的配备，第 × 师第 × 师为左右翼，骑兵旅为前哨，第 × 师等为前卫，中间是军团部以及咱们非战斗员，后面有警卫营、警卫旅……

今夜，大家是要特别机警，从这儿直向西要翻过两座山，跨过铁道，穿过几个隘口。在黑暗吞没了一切的黄昏之后，我们都坐在麦地上准备出发。突然一个响亮的声音惊动了我们，今天行军时大家要注意几点：不许讲话，不许打电筒，不许吸烟，一个紧跟着一个，不许落伍，大家要特别注意。

经过这样的警告后，我们开始出发。今天走的是不平的山地，我又是近视眼，时刻有跌倒的危险。再加之那不断的急行跑步，实在叫人喘不过气来。爬下那险峻的山腰，我偷空这样想了一下：若是在平时谁敢从那没有路径没有步级的陡峭的石板上往下走呢?

跨过铁道，和第 × 路军炮 × 团等汇合着走。穿过隘口后，便看见我们左右翼的信号光，和重炮汽车上放出来的强烈的光线。我们感到兴奋，我们的队伍，是这样的广大强壮呵!

这一夜走了一百一十里，直到阳光撒遍田野的时候才抵 ×××。敌机打上空经过，发现了这么大的目标(满田满野都是密接行进的队伍)，但因他有他特殊的任务，仅高高地扫射了几下就去了。

在这儿找不着吃的和住的，我们在牛棚里睡了一觉。老百姓都逃跑了，并没有留下一点小米和高粱，只留下一两只和我们同样饥饿的猪，给弟兄们杀了。我们找来找去，只找到一点黄豆，把它煮了，连盐都没有，可是在饥饿的时候，什么都是能下咽的。

*　　　　*　　　　*　　　　*

下午四点钟，我们的骑兵旅就英勇而轻捷地开始出发到敌人的防线里去搜索了。

我们慎重地准备，我把单被卷也丢了。“留得青山在，不怕没柴烧。”这是最流行的痛快语，纵使是最吝啬的人，也顾不了这许多与生命有害的东西。虽然在平时它们是生活的必需品。

紧张、严肃、机警、生命力在活跃着。……这是最后关头，只有拿出最后的气力，才能挣扎出活的路。在无限的黄昏的平原上，一队队一队队排列着我们的队伍、牲口、枪刺、手榴弹……给我们带队的马参议嘱咐我们：“听到枪声要沉着，注意前面的队伍，利用地形卧倒，最重要的就是千万不能落伍。……”这时候谁也把握不住自己的明天，只是有那么一个坚强的自信——决不落伍罢了。

黑暗中，队伍开始急行前进。在我们前面是输送连的牲口，有大的骡马，有小的毛驴。它们不但不能规则地行进，而且还要嘶叫，我们都在埋怨着，经验告诉我们跟在牲口后面是最容易失去联络的。等到队伍稍稍慢行的当儿，副官处的处长用棍子打走了几只毛驴。它们身上背的是长官的行李，没有谁敢取下。眼看着毛驴带着东西到田野中去吃麦子，谁也不敢再去牵它们的绳索。

平行前进的队伍，有三四行，一个不留意，就跟着别的队伍走。大家都在嘱咐着："一个紧跟着一个呵！"地面是可怕的不平，然而前面纵使是横着河流，你也得跟着走上去。在一个开始的跑步中，我便跌了一跤，虽然我是以极快的速度爬起来直追，但我后面的队伍都已穿到前面去了，好容易才能够拼命地赶到，赶到了还要拼命地奔跑。于是背包，大衣都从我们的肩上手上，飞到路旁去了。

我不知道跑了多少远，站立了几次，我只知道全身在发着冷汗，呼吸已快要中断似的。

我听到同行者没命的叹息和怨声，我听到路的声音在我耳边响着："阿尼！拼命呀！这是最后的挣扎……"他和别的几位男同志牵着我的胳膀奔跑，我用尽我的力，拖着我的两条腿。然而，很难拖动哩！我想：让我落伍吧！留给我一点气力，和鬼子拼一拼，可是我没有一支枪，没有一颗子弹，而且我还是一个女性。

经过了一阵细雨和浓雾的润泽之后，天已经明了。黄金般的麦野上，布满了我们的人马，机械化炮车，汽车……杂杂沓沓，比上海南京路上还要热闹。麦子熟了，麦子的主人却反而流落到他方乞食别人的麦子。去啦！前面横着的是一条淝河，低浅的水间有一道堤，我们的队伍就从这道堤上渡过去，渡过去，渡过去，在这极危险的刹那会这样从容而有秩序地渡过去，不就是胜利的表现吗？

过了淝河，又走了几十里路，肚子实在饿得难受，嚼麦子并充不了饥。路便到村庄中去找到八条泥山芋，分给同行者吃，真是比珍肴都来得鲜美。

弟兄们打我身边走过的时候，都很惊奇，有的便问道："你也是走的吗？""当然是走的呵！"我报复似的笑着。谁说女人的体力不如男人，不是一样的吗？李连长看到我，便把马让给我骑。我鞭着那匹棕色马，走在暖热的阳光下。我疲倦欲睡，几次惊醒后，才知道因为缰绳拉得紧，没有跌倒马下去。

每到一个村庄，老百姓都烧好开水给我们喝，他们被敌人的铁蹄击醒了，他们把东西送给我们吃。他们说：

“与其被日本人拿去不如给你们吃。”可是所有的鸡猪之类的什物，都早给鬼子们搜索尽了。他们告诉我们，那几个村庄上有多少敌人，女的都显出谈虎色变的样子，指画着告诉我们敌人抢掠的情形。

午后二时，达到休息的地点，一百四十五里的突围行军，可算是完成了。虽然还听到附近的枪声，那是我们在包抄敌人。胆小的敌人，见了我们大军，早已吓得不敢动弹了。

你说：我们这次是退却吗？请去问问所有的士兵，他们简直没有退却的感觉。他们只知道这是转移位置，他们时时在准备攻击敌人。谁也没有丢过一支枪，半颗子弹，每个人的面孔上都呈现着胜利的微笑。他们常常和敌人接触，却不像唯武器论者的先生们那样的过虑。相反的，对于敌人，他们只有蔑视，如今他们还在准备去消灭敌人哩！

好，暂时别了吧！英勇的、健壮的、民族解放的战士们！

一九三七，五，廿九于汉口

突围三百里

石　燕

十几个年轻热情的战地通讯工作者，紧紧地结成了一个集体的组织，决定于十四日的深夜，随关军西去，离开这和母体隔绝了的可惨的徐州。关麟征先生不惮麻烦，慨然允许护送我们西去。当晚经过两度夜袭警告之后，我们十几个同业乘一部卡车驶向陇海路车站。到站后，得悉李庄铁桥被敌人炸毁：桥下有敌坦克车潜伏监视不得修理，致交通难以恢复。因此，后来徐州附近七十二辆机车几百辆车皮终于最后的一日忍痛炸毁了。

由车站转回军部。皎洁的月光代替了被毁熄灭了的电灯。在月光下活动还要担心着敌机的夜袭。

军部改变了计划，用汽车送我们到徐西三十里的大河寨然后随军部徒步前进，另派两连特务队保护着我们。有黄政训处长和吴参谋处长陪我们西去。

午夜中汽车开动了。除长江、黄薇、叶炯三人暂留军部外，同行者十二人，徐州就这样和我们轻轻的告别了，明天的徐州又不知怎样呢！

清晨五时，我们的队伍徒步西行，两小时后抵郝寨。军队在此危急时际，仍以最优厚之待遇款待我们，衷心实觉不安。

于郝寨车站遇政治部抗敌剧团。他们是两日前乘火车离徐，因阻于李庄之敌，正在徘徊于徐州郝寨之间，进退不得之际，中途相遇，倍觉亲切。他们原有七支步枪，两支手枪，系司令长官部发给他们的俘获品。依他们的计划，拟单独突围，倘遇敌人即与之一拼。自和我们相遇之后，便放弃了这个计划，决定共同行动。另有二十军团战地服务团四个青年朋友也临时参加了我们的队伍。

战地服务团中的小文，是一个纯真热情的少女。在鲁南战地，为滇军士兵写了无数的家信，由她很珍贵地带在身边。自己一切东西都抛弃了，而这几十封战士的家信，在她视为生命一样，时时刻刻担心着它们的安全。

她时时忧虑的说:“我们出不去不打紧，这些信寄不出去可怎么好呢!”

她赤着两支脚，骑在军部为我们备的战马上，和大家同样地做骑赛。她没有女人的气味，态度很沉着勇敢，是抗敌前线上一位最英勇的女战士。

由郝寨西进，最初的目的在相距六十里外的唐寨，拟由该地迂回西南行而达砀山与我军会合。但行军至杨楼车站，前方情况仍未判明。吴处长临时派遣侦探队侦察情况，得悉唐寨方面已有敌情，我们的队伍因不便冒然前进，所以便临时决定宿营在郝集，这里离黄口不过二十里。

十六日上午敌机在附近侦察投弹，我们因之都散布在寨外的田野中，静候正确情报的到来，以便决定行动。但这天整个陷于情况不明的迷雾中，使人益感苦恼。

清晨听到两个好的消息，一是三十八师已开至郝集，一是一小时后十三师即来增援黄口。郝集这时候军队越来越多了，但仍不见十三师之来援，因我们是期待十三师到达后黄口以西的情况会好转起来。但只见一些徒手部队陆续西来，这些原是某某两补充团奉命开赴河南的。另外之二十七师只过境性质，其任务皆非作战。因此我们益感失望。

某某两补充团中的士兵以出川未久，情绪与训练均太差，黄口方面不断传来炮声，使他们感到极大的恐慌。一小部队在我们面前通过，见一些女同志们皆坦然处此困境，其中一个士兵忽然有所感动的说：“你们看这些女同志们都不怕死，我们怕什么？用脑壳去拼好了！”

一种坏的消息传来了，黄口已为敌人占领，铁路南北之敌已将打成一片，丰县单县均极紧张。

下午二时顷，黄口方面的炮声紧密起来，机关枪声也越来越清晰了。郝集一带的空气逐渐动摇起来。某某补充团首先如潮涌般的崩溃下来，排成密集的长列拼命的向东飞奔，路上的灰土搅成了满天烟雾。郝集内的部队也开始移动了，我们也接到吴处长的移动通知。炮声愈近，情绪愈紧，郝集的空气混乱起来。

记者团中的朋友们在混乱中有的失散了，我和两个朋友及一个战地服务团的同志也和大家失掉了联络。于是我们决定暂回徐州，去找寻另外的部队随军行动。

我们沿大道苦闷的东行，四外是一条条灰色的长列，裹着黄色的烟雾蛇一样的蠕动，慌了神的蛇裹来的空气鼓动了一个一个的乡村，老百姓慌张起来了，像大祸临头一样，挑着衣物四散奔走，犬也顾不吠了，夹着尾巴闪进黑暗的墙角。

我们慢慢的落在队伍的后面，空气渐渐平稳下来，可是敌机又在出现了。炮声从西方，又有的从南方不断的吼叫着。

跑回郝寨天已黄昏了。车站上挤满了列车，车上挤满了人，但是车与人都不晓得那里是他们的出路。

由郝寨东进，公路上又塞满了灰色的队伍，手电灯不断的闪耀着，前后互相呼喊，这是部队之间为得维持联系才这样前后照应着。但是他们忘记了后侧方的敌人，夜行军这样噪杂混乱，是违背行军纪律的。

过郝寨东行十数里，我们因为已过分的疲乏，而且夜已渐深，天又落雨，遂在一个不知名的小村中投宿。伙伴中又增加了青年救国团的两个同志，六个人在一间黑暗的茅屋中席地而睡，疲惫的身体获得了异常的甜蜜。

次晨四时，西南方向的炮声渐近了，我们从梦中惊起，继续徒步东行，遇十三师的队伍自西开来，曾在郝集盼望过的十三师居然在此处见面了，但是他们改变了任务，前锋是向着徐州转移。青救的两位同志因急于去徐州先我们而走了。前行未久，我与同来的三位朋友忽又失掉联络。于是我一人紧随十三师的行列前进，到达徐州西南十余里的一带高地。部队继续向西南进发，他们是解萧县之围去了。

我和十三师分手，横越麦田，穿过了几个村落，奔向云龙山脚的徐州南关。西方打来的重炮弹已经在徐州城郊炸裂了。恐慌笼罩了仅仅别离两日两夜的徐州，人们慌乱的无目的的奔跑着。虽然是在警报声中，平日的严肃的景象完全为慌乱所冲破。徐州是变态了！

老百姓像堕入迷阵一样，不知今天的徐州起了多大变化。有些可怜的人们的心灵仍为空袭恐怖所占据，深深地藏在坟地和树林之中，回避着敌机的来袭。他们完全不知道敌人已迫近徐州三十里外的近郊了。

我到云龙山下的中央社打听最近的情况。在这里遇到尚未离徐的大批同业，塔斯社的两位记者也在这里整装待发，大家正在讨论着路线问题。我会同《武汉日报》

房沧浪君去段家花园长官部听取情况，遇陈江参议，承他指示路线，并得悉我某军团亦向此方移动，遂决定徒步东南行去追赶某军团。

敌人的炮弹一颗颗地在徐州城内炸裂，云龙山腰上也起了几片浓重的黑烟。徐州，徐州，真是不堪回首了。

为了避免敌人的包围截击，我们决定离开铁道以东，向东南方面迂回前进，因距铁道较远，可以减少遭遇敌人的危险。

路中的难民络绎于途，有些老太太，背负几只鸡，一束柴草，这是他们唯一的财产，不忍得遗弃给敌人。

同路三个铁路工人，无意识地随着我们踽踽前进。我们问他们去那里，他们的答复是："我们也不晓得逃到那里好，走到那算那罢。"

这是十七日的上午，我们和徐州做了最后的也许不是永久的别离，徐州给予我们最后的印象是太凄凉了！

一步步南行，可惨的徐州的影子渐渐消失在云龙山、泰山，以及重重山影的后面而不可见了。炮弹的炸裂声由清晰变为浑重，变为稀薄，终于听不清楚了。下午三点钟左右，我们到达一个宁静的乡村。在这个乡村的附近倘你不是个细心人，绝不会发觉各村中驻有无数的大军，敌机似乎曾在这里聚精会神地寻找我鲁南主力兵团行动的踪迹，以便布置围歼的计划。但是它的努力等于零。我们的士兵都静默地睡在房间里，村落是静悄悄的没有一点声息。

房沧浪君坚持单身突围的主张，因此我们便在这里分手了。我由师部的介绍，得悉军团部尚在距此东北十里以外的某村。我顺着军电线走去，途遇该军团战地服务团团员数人，得悉小文的哥哥在这里。我顺将小文的下落相告，使他们感到极大的欣慰。

到军团部，会见汤军团长、长江及周海萍君，令人颇感兴奋。此际各部队已列队待发，隐蔽在村落中的兵团雄姿突然出现在日暮黄昏的时分。

当夜大军向东南进发，队伍拖长十数里，我们随汤军团乘卡车先行，于天未黎明之前到达宿县东北之某村，即于该地宿营，次晨八时队伍全部到达目的地。时敌侦察机已开始活动，幸因天降大雾，我军行动丝毫未被暴露。

万参谋长随部队于天明时始到达宿营地。夜行军中之劳顿，并未使其精神疲惫。蒙其在梨树阴下以香茶相款待，长江对此次行军之机敏，使敌机侦察之无所获得，感到最大的兴奋。我们以此为题材，互相谈论，感谓此后几日之进军必极顺利无疑。

此次徐州的放弃，非由于战斗之失败，而是由于战略上之疏失，这是我们所最觉遗憾的。由鲁南猛扑徐州的狂敌，一挫于台庄，再阻于郯邳，敌人的野望撞在鲁南的铁壁上，一时化为幻想。鲁南战局在战术上我们确实收到了很大的成功，徐州的形势本已由此稳固下来。但敌人在鲁南劳师无功之后，便转移主力攻我空隙，于蒙城永城被陷之后，由铁路南北两路夹攻约四个师团之敌人竟打成一片，陇海路交通切断，徐州陷于大包围状态，整个形势为之骤变。

敌之野心不仅在夺取徐州，且在布置大包围阵形，企图一举击破我鲁南主力，迅速的求得决战的战果。

当时宿县以南蒙城以东，蒙城永城之间之弧形地带，凡重要交通线上均置有敌兵监视。我主力兵团之移动，倘遭敌人发现时，则前途上之遭截击，是必所难免的。但以运动战擅长的汤军团，依其平日行军纪律之严格及行动之机密敏速，始得完满的完成撤军的目的。当时汤军且兼有掩护退却的任务，均获无遗憾的圆满达成。

十八日晚我大兵团分数路横断铁路西进。在鲁南发挥伟大威力的我某最新式机械化部队，及战区最高级指挥部，均在我大兵团掩护之下随军突围前进。此际由鲁南撤防各殿军均按预定计划安全撤退至运河线，孙连仲军据守徐州，张自忠军团固守萧县，我十数万大军均如期到达其指定地点，发挥了掩护我主力撤退的作用。

我们的部队浩浩荡荡向西挺进了，每一个将士都怀着一种紧张的心情，准备着不意的遭遇战，人人下了与敌一拼杀条血路的决心。在行列中回首右盼，见我机械化部队列成长蛇向前勇进，几十支耀眼的电灯光在闪烁着。防御战车炮在前后警戒，如果敌人的坦克出现，将会不客气的给它以台庄所尝受过的颜色。东北方面地平线上闪动着阵阵的红光，这是我们的殿后部队在破坏陇海路的车辆和桥梁。

大军步步西行，便步步和包围线上的敌人接近了。下弦的残月放出银光洒满了大地，渐渐与我们告别了的数百里的土地和千百万的民众之悲伤与凄楚，月亮也在为之叹息哩！

仲夏之夜是很短促的，清晨四时东方已在发白了。五点，六点以至于太阳高挂在天空了。大兵团冗长的队伍，依然在奔向他们尚未到达的宿营地。

黎明了，东南宿县方面传来不断的炮声，我左翼英勇的战友正在与敌人拼死的战斗中。

忽地东方的天空上出现了敌机，这样庞大的目标一时是不好隐蔽了！我们的行动完全暴露在敌人的鬼眼中！

嗡嗡嗡几匝盘旋之后，便继之以格格格的几排机关枪，我们十几个不幸的弟兄被它打倒了！

十几分钟的扰乱，敌机给我们每一个人留下一颗沉重的暗影之后，便得意的向东南远扬了。

我们所顾忌的不是它招致敌机来轰炸，而是忧虑敌人发现我军整个的企图。倘时间和兵力许可敌人在前方预先埋伏给我军以猝然的突击，则我们必将陷于十分苦恼的境地。

不久，我们到达大贾家村，这里距宿县西北三十余里。十九日整日在这里休息，敌机几度来扰，前途益严重。

这是人人心中最紧张最沉重的一天。人人脑子里潜伏着一幅恶战的绘影，感觉得最严重的关头就在今夜。

白天大家拼命地睡，傍晚马马虎虎吃下晚餐，重新检点了各人的行装，把已经抛弃过几次之后所剩下的唯一仅有的笨重衣物也都抛弃了。我只剩了不能再弃的皮囊，装着重要的文具、稿纸，和一些参考资料。这是我们战地记者的生命线，实在是不能轻易失掉的东西。

出发令下。我们挺着胸脯，鼓着勇气，迈开沉重的步伐，加入战士的行列，直向敌人的包围线突进了。

围绕着军团部有许许多多非战斗员，沿途收容来的由徐州退出的文职员、战地服务团、路工航空队员，和少数新闻记者，一夜中，以急行军的速度，没有休息的，以致要突破百里余的途程，才能脱离危险线。

几天来的劳顿实在疲乏极了，腿和脑已经分了家，脑尽管睡，腿尽管走，有时实在不能支持时，便逃出队伍，躺在麦田小睡一分钟。这种睡的甜蜜是没法子形容的。因为这样，我曾经几次落伍，幸均快步赶上。

士兵们以谈话解着疲乏，南腔北调，显出了这是中国全民族的大团结。一个士兵似有所感，以幽默的口吻说：“不要再说你有家我没有家了，现在大家搀合在一起，国家存在大家有国，国亡大家做亡国奴！”

天明了，大军到达浍河之滨。这里横跨浍河有一条小小的石桥，石桥以南三里路外有一个村庄。

队伍陆续的通过石搽。桥南方忽然格格的响了一排机关枪。过桥后，遇一老者，他很紧张的对我们说，前面三里外的村庄里驻有五百鬼子兵，你们要当心呀！

万参谋长听到这种情报笑了一笑说：“理他做什么！”

那个村庄的炮楼上设有敌人的监视哨，我们的行动完全被他看个清楚。我们浩浩荡荡的大军吓住了这些小鬼子，他们潜伏在村子里一动也不敢动。

大军堂堂皇皇的西进，左侧方面各村庄不时放出冷枪声，这是鬼子兵在试探我军的动静。我们只管走我们的路，没有工夫去理会这些小鬼。大道上印着一条条的坦克轨线，但此行却未遇见敌人的坦克车。

蒙城永城之间的青町集、徐家楼、白沙集等地均有大批的敌人。我们的队伍迂回的前进，向着敌人的空隙冲出。终于在二十日的下午无事地到达了公路线上的曹市集，大军暂时在这里休息下来。

到达 ×× 集之后，大家的心才轻松下来了。我们正在奇怪为什么我们的行动为敌机侦知以后，敌人没有截的准备的时候，却听到我们落后部队通过某村三小时后，便由北方窜来敌人的坦克车队和骑兵。但我们已过去了，敌人追击也没有用了。

同样使我们兴奋的消息，是宿县之敌，曾于昨日以大部队沿铁道以东向北猛扑，意在找寻我主力突击，殊不知我已于一日以前悄悄的移至铁路以西，敌人扑了个空，真使它啼笑皆非了！

突破了敌人的封锁，三百余里的威力退军终于胜利的完成了。

萧山一牧童

鲲

太阳照着焦黄的麦田，牛吃着路边的青草。放牛的孩子坐在树阴底下打瞌睡。走过来一个穿蓝布长衫的庄家汉子，坐下，吃着他那长杆的旱烟。

“借个火吧，兄弟！”过了一刻功夫，他要抽第二袋烟，把空洋火盒子丢在地下。推一推那孩子，陪着笑脸。

“我那有火？”孩子醒了。这汉子就和他谈起话来。他说他是开封来的，家在萧县。开封有马路，有戏园子，热闹极了。那里的女人打扮得多好看。他问孩子的家住在那里，家里有什么人。又说些关于种庄稼的事。最后，他说不知道回萧县去的路上有兵没有，好走不好走。一边说着，他掏出两个馒头，一个咸鸭蛋递给孩子吃。孩子高兴地听着，吃着。

“你知道这东南上有队伍吗？”

“有，昨天过了一夜。”

“有多少？”

“多啦！”

“也有骡子马，也有炮车，是不是？”

“都有！”

“有骑马的官长，领子上挂着金黄金亮的徽章，后头跟着盒子炮，是不是？”

“那没看清楚，我看见有两架机关枪，抬着的。”

“哦——那么他们都住在邓村了？”

“也有住刘集的。”

“真的，不要乱说呀！”

“谁乱说，我姊今天早晨打刘集来。”

“哦！刘集……那么他们的炮拉到那里去了呢，你知道？”

“……”孩子眼睛望着刘集，在想什么似的。

“我知道他们把炮架在树林子里，他们还挖了几道壕沟呢！那些壕沟挖在那里的，你告诉我！”

"……"孩子慢慢地放下来他吃着的咸蛋，仔细看着那汉子的脸。

"那炮架在什么地方，你说？"

"就在那边。"孩子随手指了一指，注意到那汉子从身上掏着什么东西。

"兄弟！你告诉我壕沟在那里，我给你钱。"孩子看见他脸上不自然的笑，自己手里被塞进一张钱票子。

"兄弟，你帮帮忙，你领我去看看那些壕沟，等等我再给你一块钱。"

如果那汉子更细心一点，也许可以看得出一个十四五岁的质朴的脸上怎样流露出迟疑和思虑。可是他并不知道自己是在启发了一个中国少年的民族意识。

"行！"孩子忽然坚决地答应了一个字。站起身来，去牵自己的牛。

"你给我拉着牛，我领路。"那汉子接过牛绳，跟在孩子后面，孩子脚步走得很快。

不到二里路，走近一个土坡，路口上站着一个哨兵，忽然孩子发了疯似的，一边喊着飞跑过去。

"他抢我的牛，抓住他！他抢我的牛！"

“怎么地？这小兔崽子，是你叫我给你拉牛的！”

可是汉子已经被哨兵扭住了。

“他是汉奸！他叫我告诉他你们挖的壕沟！”孩子把手里握紧了的钞票拿出来。哨兵从那汉子身上搜出手枪和其他的证据。

很多人知道萧县张新集的这个故事。

在包围圈内

冠　生

（一）陇海路上的往返

五月十三号徐州夜间的空袭，使我们一群记者于月光明亮的夜色中又集合到云龙山。大家谈的不像昨天那么样兴奋，彼此交换了消息以后，似乎一阵忧郁蒙上了心头。我是五月七号左右才从邳北前线回来，对鲁南二次会战抱着极大的企望和乐观。但是永城失守了，沛县、丰县都有了问题，敌人将不取归德，而取直径切断铁道，这样就可以威胁到整个的徐州全局。当时有两位同业还打算觅汽车往 ×× 军去采访战地新闻，我们劝他们要看看大局的转变再说。结果无效，他们走了。我同悔深两个河南报纸的记者，因为我们的报馆在开封郑州，都在接近徐州的陇海线上，徐西铁路发生了问题，我们报馆支持到不可支持时就有搬家的可能。若是外派记者与报馆都流离失散了，那就什么工作也做不成。于是我们决定当夜离开徐州。

到了北车站上见站房铁轨被炸的一塌糊涂，没有西行的车，连一趟卫生列车也开不出，旁边还有猛烈的火舌在伸吐着。站台上躺卧着一群一群的伤兵。我们只有步行往西走，以为多走一站或许有往西开的车。十四号一天走到郝寨，晚上展开行李就憩息在车站的旁边。夜间见站长一问，说黄口李庄间的桥梁已被敌人骑兵破坏。一群伤兵不问情由的在地下和站长吵的翻了天，车站上往西去的行人，一个个都是彷徨不知所措。一刻间又有敌人已击退，我即开往钢甲车修复桥梁的消息，于是，我们又兴奋起来。十五日的天明钢甲车带着修桥的器材由郝寨经过向西开驰，人人看见了钢甲车上的大炮和站立着雄伟的战士，都放松了紧锁着的眉头，好像把自己的安全生命都递给车上的战士，更殷切企盼着。徐州会战被切断的生命线，要让这些战士去打通，我们满怀着兴奋慰快的心情再往西赶，以为路打通了，由西边砀山下车的大批军队可以一直开到徐州，说不定我们还会再随军转回来，继续把关于徐州二次大会战的战地通信写下去。

走过杨楼车站的时候，老练精干的李站长，告诉我们说往西行的前途，不像我们想象的可以那样乐观，于是我们又犯了踌躇。午时黄口车站的站长把他的家眷送往杨楼，据说过去钢甲车在李庄附近破坏桥梁处，与敌人已经开了火。问到步行可以通行过去吗？他说：“早晨见很多人走过去都没见回来。”我们同开封车站的副站长董日祜，还有姜华堂、石永年都是铁路界服务的难友，决定先赶到黄口再打算乘势步行冒险冲过去，沿着铁路走。往西去的伤兵和落伍赶队伍的兵士，前前后后像拉了一条绳索，他们向来没有把敌人放到眼里，一杆枪到处都有他们的出路。路上遇见从砀山走来的人，他们说：“早晨九点钟，沿铁路尚可以通过，但是敌人的大炮已集中对准铁路线轰击。”就这也增加了我们西行的勇气。

天晚时走近黄口，看前面的情势更不佳。有些走过去的伤兵，仍从黄口步行踱回来，据说敌人完全切断了铁路，步行通过已不可能。问黄口车站驻扎军队多否？回答说：“尽都是能以走动的伤兵。”这样我们想，黄口过去就是敌人破坏桥梁的火线，黄口又没有抵御的军队，我们若宿到黄口，夜间岂不是有做俘虏的危险，于是决定入夜再重返回杨楼。回路上又遇到送家眷的黄口站长，为了尽忠他的职守，他又回去站在他的岗位上。俟后听说，第二天早晨，敌人大炮攻击黄口车站时，他随他的办公室在敌人炮火下殉职。同时我们又惊惕着，我们幸喜没有和他同去黄口车站共遭惨灭！

在黄橙橙小贩灯光照射的时候，我们又回到杨楼。一进地下室，就遇见五十二军军部的老朋友，顷刻间参谋处长吴丽川也见到了，他们是十四号夜里离开了徐州，并且说一群记者：陆诒、张剑心、胡守愚、石宝瑚、高紫瑜、高元礼、陈树旬、华侨记者团的明崇、龙炎川等，还有政治部抗敌剧团吕班等二十余人，都来到了，在车站下沿一个小村庄内休息。我同悔深听了这个消息，简直欢喜如狂，在连燕在仓山五十二军我们跑得太熟了，又会合住新闻同业这一群老朋友，更是说不出的愉快。

大家见面一阵狂欢之后我们报告了黄口前方的情

形，他们解说了离徐时对整个战局的观感，但当时我们大家一致相信着，只要同心集体的努力，就可以冲破任何的艰险困难。

十二日早晨，从四方传来紧密的炮声，和连珠似的机枪声，大概敌人已攻到黄口车站了，一上午跑了好多次飞机。预备当天晚上向西迂回突击，每个人都怀着一伙兴奋战斗的心。大概在十二点钟左右，炮声愈响愈近，机枪声也似乎迫近邻近的村庄，当时军部只有工兵营和特务连，掩护着我们这一大批非战斗人员。说话不及敌人炮弹已落到村外，我们这些非战斗人员只有暂时的避开。我们随着人群的大溜向东撤退，为了躲开飞机的目标，穿插着走在绿深深的麦田里。一阵急行之后大家走散了，只有我同悔深、石宝瑚和二十军团服务团的王西彦同志走在一道。天晚了，我们遍找不着我们的那一群朋友，和我们跟踪的军队，到郝寨只遇到几个押运行李赴徐州的副官。

我们只得跟着东进的军队向东走，以为回到徐州再想办法。黑夜行军，车辆、马匹、人群都拥在一条路线上，脚下踏着没胫的尘窝，这时候又走失了石宝瑚，我只有同悔深相依为伴。在附近铁路线上发现手电筒的闪明。我同悔深研究着手电筒照射光线方向，我们希望着它是由东向西的军队，我们还希望着能以冲开敌人在黄口李庄间所切断的铁路线，因为不如此，徐州的战局就真成了无法收拾。

十七日晨光中我们重踏进了两个月留恋过的徐州。云龙山上的石路和高耸的牌楼，在灰色薄暮中映在眼前。在那山角下茶园子里，青年记者学会开过很热闹的座谈会；那山后的大石前我也写过我的通讯。而今一切都将成为纪念和回忆，徐州城就更使我们留恋！城内冷清清的，商店都把门闭着，僻巷没有逃走的人，站在街口像探视什么。我们访问朋友几次都遇到了空房子，听说长江还没有离开徐州。正要去找他的时候，轰隆轰隆的炮声又逼近到徐州，几个炮弹已落在城内。又是一阵忙乱的骚动，窄狭的街道上汽车几乎要拥成堆，人民像决堤的河水向东流走，仓皇中我们也随着人群向东流去。这时候听说司令长官在城外亲自指挥作战，预备最后的措置，长官不能不算是坚毅沉着。在人群里遇到了《动员日报》的社长汪止豪君，他同司令长官部的几个同事，带着他报社内的全班伙友。我们大家一齐同意：无论如何要取得有代价的牺牲，遇必要时拉到山上去打游击。据说司令长官部是顺津浦路南去，我们就紧赶慢赶的到三堡车站去候车。

夜沉沉的时候，月光照拂着升火待发的列车，敌人从西北不远萧县一带送来清晰的炮声。站长室内的电话机不断的在忙着，“夹沟，夹沟，李庄，李庄！”，南去也发生了障碍。

我们太疲倦了，躺在专车上呼呼地睡着，到天明只走到苏皖交界的曹村。

（二）津浦道上的徘徊

十八日下午我们随着司令长官部的大队人群，沿着津浦道旁的公路向南进发。自由组合的队伍，本来走的不快，加以敌机不断的在我们公路上盘旋打扰，一阵嗡嗡的马达声，我们就得用急速的跑步散开，卧倒在麦地里休息。天不早了，我们距目的地符离集还有二十多里，从队伍里发出了责难声音：“这样的行军太不是紧急时期所应该，我们简直是来做平时的旅行！”于是大家却很敏感地放快了脚步。

太阳已滚在西方的天空了，黄丝色的麦浪里流走着暖风，一条平直的铁道在绿色原野里伸展着，一直到极限的远处，它通到南京又可以走到上海。这一条沿海岸纵贯南北交通的大动脉，现在这条动脉的血液腐烂了，尽伏着些惨酷暴戾，奸险万恶的菌魔，它将侵蚀到我们这样美丽的平原，危及我们的脏腑，思之不禁令人惊惕感慨之至。

野地里路轨上停着一列被汉奸炸毁的钢甲列车。它像僵死了的铁牛在躺卧着，碎烂的钢片，从车身上向外撕张开。“该死的汉奸，打杀汉奸！”引起每个过往人心头的愤火。从我们走过的车站上，看到红色蓝色的客车，都空空的安静的在那里停住休息，一草一木都是值得我们顾恋的东西。

任你望去，从天空的云，看到远处的山，再接近身边的绿野，满天的空阔里，好像尽充塞着令人抑压，紧张，忧郁的空气。

忽然一阵呼唤，后面传来了命令“停止前进”！

大家都莫明其妙了，有的继续往前踱，有的转回去问究竟。从我们对面走过来成群的马队和步队，接着又走过了炮车，他们表情的紧张沉默和不快更促成我们南进的犹疑。我们跑战地的记者，比较上是消息灵通的，但是在路上行军数日，已经脱离了战斗机构，就感觉到渺茫无力，即是司令长官部的幕僚对战局的变化也不能弄个全然明白。“南宿州失陷了，符离集附近发现敌人”，从南来的军官口中，低声的带来这令人不愉快的消息，南进的道路被阻断了，大队的人群只有踏着从徐州奔来的旧路再向北走，脚步随着心情的忧虑而加重，东、西、南、北都不是我们平安出走的道路！

我看看悔深，悔深看看我，疲倦的彼此没有话说，一同掺和在人群里向北流动着，用尽我们的思维，也不能正确的知道目前的战况究竟是如何。一个冒险的航海家，虽开着万匹的马力，但陷入暗礁丛中，寻不出空隙可走的路，也只有苦恼了。

展开地图一看，我们正游离在符离集和李家庄之间，往南走不通，往北说不定萧县敌人已在围攻徐州，往西蒙城永城间是敌人的封锁线，往东走正向着包围线的核心，愈走离出路愈远。司令长官部的人员，都不是带兵作战的人，他们也不知道谁会给他们杀开一条出路。这时候天色已晚，我们和汪止豪兄也失了联络，甚而不知道他们所走去的方向。空间慢慢加重了黑暗，夜神已统治了这令人渺茫的世界，茫茫大地我们不知向何处投奔。路上遇见河南三个同乡，有一位是做第一战区的联络员，我们很亲密的聚在一起，讨论怎样的落荒，这时候若找不着军队，生路只有化装向西从敌人后方绕过去，但路线又不熟，摸走数百里地的敌区，也真够使人寒心。我的行李丢光了，背袋内只塞着一身黑色制服。悔深什么都没有了，穿着汪君的一件雨衣。夜渐深了，我们一切交给命运，决定暂到附近村庄憩息一下再说，预备好衣服装束，明天再作落荒突围之计。最后又互相安慰着我们要扫除一切愁虑尽量快乐，记得谁还叫出了一声“一马离了两凉界”的京戏。

（三）突围之夜

天色非常的黑，连我们穿过的桃树林的树枝也分辨不清楚。我们摸索着刚踏进了村庄的巷口，空场里发现了一条高大的黑影，粗宏的声音止住了我们。我们一点也没生疏的回答一声："司令长官部！"说着就走近那位守卫壮士的身边，一问是二十军团的第四师十二旅蒋当诩旅长在这里住。真是我们梦想不到的喜遇，溺水人抓到了救生圈，就要把全所有的希望都寄托在它上边，当时的情绪好像是说故事讲神话的喜忧穿插。

二十军团是我们罹难记者，理想中所要跟随的军队。鲁南战地上运河分别了以后，不知什么时候他们开到了徐南。我们二次返回徐州时，也没有找着他们的消息。离开徐州三四日的奔跑，战地的变化许多都令人茫然，假使我们知道二十军团在我们游离彷徨的道旁驻扎着，我们就会半点也不急慌。

在一所低矮的民房内会见了蒋旅长和 × 参谋，他们多么样客气地递给我们一天没有沾口的开水喝，当我们说着刚才的忧虑，一天的奔波，甚而说到由黄口返徐的迂回时，蒋旅长带着很豪爽的微笑。

"啊！你们真是跑了冤枉路，那里有所谓封锁线？我们还不是到处都能过去。"

“黄口李庄间的铁路确被敌人切断，并且敌人大炮已照铁路线轰击”，“随便绕一绕就可以通过，我只要五支枪就可以自由的来回出入”。

他说话时摆动着他手中的马鞭，表示根本就没有把敌人放在心里，相形的，我们很惭愧，自己缺少军事学识战斗经验。

“当时我们对于敌情不能完全明白，我们又丝毫没有武器……”

“是的！那当然是因难……我们带兵的是专找敌人的空虚，打击敌人，若不找他的事，单想突围出去，那还不容易？”

“哈哈！那当然唠！”满屋子里一阵欢笑。我们对蒋旅长的精神是无限的钦佩。

传令兵来了几次报告，蒋旅长说：“我们现在就是正在准备出发，突围！你们晚来五分钟也许我们就走了！”

“呵！那么赶巧！走！”我们一天的疲倦都随着一个“走”字脱掉了。庄外一片旷野里，黑压压都站满了队伍，旅指挥部的几匹大马，在光亮的打麦场上盘旋着，远处机关枪的辎重队哗啦哗啦在转着，全军的壮士都敛守着寂静与沉默，满天的黑野里我认识了我们伟大的力量，睛空的繁星，也好像在窥探我们的军队。

旅长和参谋长在地下蹲成一个圈子，展开地图用电筒照着，同农民向导研究着应走的方向。出动的命令下了，一片人群，慢慢续成了一条人索。我们随着旅长夹在人群里，旅长告诉给我们“口令”，又叫我们用白手巾缠在颈上，作为黑夜散开时的符号，这时候我们只缺少一支可以攻击敌人的枪！

衔枚疾走，穿过麦田，追上岗坡，你可以不管脚下的道路，只管随着前面的黑影往前追。旅长发了命令，一个人交递一个人，传遍了全队——“不要踏断了脚下的电线！”可见四路纵横我们的大军都有联络，我们仅不过是多数中的一部。

不觉的已爬到一个山上，细想起来才明白山下就是我们白天徘徊着的道路，马蹄摸不着深浅在山石上滑动着，三两声萧萧的长鸣，撕破了黑夜荒山里的寂寞，黑夜里俯瞰一下渺茫的大地，尚可发现黑堆似的树林村庄，这一片良田美村就这样离别吗？那家家亲爱的民众同胞都还在做着酣梦吧，我们离去了一想起明日白昼这里的世界，或许会比今夜还要黑暗的时候，引起人有无限的凄怆！

“第三营休息！”在每个人的口上传递着。我们爬到山顶的时候，把一片躺卧着的战士看做山石，是的，他们也许是比山石还要坚强的钢铁。山顶上有一个井泉，有人用绳系住茶缸打水喝，我们一天没有吃饱一顿饭，心情的急躁、跑路的发汗，热的像一团火。我同悔深说“不敢多喝凉水”，但是我们那里能顾忌那么许多，悔深就讲述起拿破仑困在荒岛上喝马尿的故事，随后我们相依着就躺在寒凉的山石上休息。

休息只不过是三二分钟的喘气。急行军唯有目的没有劳累，下山后又穿过了好多村庄，向导人只知道走快捷，所以我们的纵队也会从菜畦地里踏过去。十八日天明早晨，我们赶到关爷庙。据旅长说，距出发地有五六十里，实际上我们跑够九十多里，再计算起来已是我们离开徐州日夜奔忙的第五天了，疲累也就可想而知。

在村庄内见到大车小辆的难民，他们有的逃东，有的逃西，东西南北乱逃一气。我们也清晰的听见周围的炮声，展开地图，我们所在地大约是在五铺一带，恰好在萧县、永城、宿县据点包围以内。我们大军团的活动当然有我们的办法，莫明敌情的老百姓，他们更不知应该如何！在这样有计划退却的时候，怎样能以做到军民合作的问题，是值得我们研究的。

旅部房子找好了，旅长百忙中照顾我们去休息，他又对着地图电话忙起来。下午我同悔深别了蒋旅长到大贾家的军团部，在那里遇见了长江先生，中央社的胡定芬、杨昌震，《武汉日报》的周海萍，《中央日报》陈振纲等. 和我们徐州走散的石宝瑚和王西彦两位同志，谈起分散后的经过来都是惊喜交集的材料，又互相研究着今夜晚一百八十里的正式突围。

又到了傍晚，夕阳在各村树上渲染的金黄色远未收尽的时候，全军都预备整装出发了，我们扎好了鞋子，各寻找一根合适的手杖，安危在此一举，今天晚上跑死也不能落伍。

副官处的副官，参谋处的参谋都忙碌照料一切，通信兵急急忙忙地收拾他架起的电线杆，人人的面孔都是严肃而紧张。

各部领队人，在庄外空地里等参谋长训话。参谋长戎装整齐精神焕发（记者在战地里，见他对着地图计划作战时，随便的穿着衣服，赤着足拖着鞋，蔼然和气可亲的学者），命令三件事要注意：“不准讲话、不准抽烟、不准打电筒，若遇发生情况时就原地蹲下停候命令。”这是夜行军的军律。

大军出动了，各村庄各路上，金黄色的太阳光里移动着一行一行队伍，一群一群的人马。我的疲倦没有了，我了解了什么叫做壮烈与伟大。当时忆起杜甫的一首诗：

朝进东门营
暮上河阳桥
落日照大旗
马鸣风萧萧
平沙列万幕
部伍各见召
中天悬明月
令严夜寂寥
借问大将谁
恐是霍飘摇

我们记者因接着特务营的后面，为怕失了联络一步也不敢放松。天色渐渐的黑了，慢慢地路旁村上的炊烟看不见了，只看见队伍，自己前后左右的伴友。激昂沉默中，马蹄声、脚步声、枪弹茶杯的碰击声，奏着大军进行一曲。

忽然一阵驴子叫唤，惹得副官处李处长纵马追过来：“谁牵的驴子该枪毙！”大概是有些人私人的行李没法安插，找来毛驴子寻求方便，岂不知驴子夜叫是夜间行军最忌的东西，于是三棍两棍的把驴子赶掉了，来不及解下的驼囊行李，也就干脆的抛弃。

前头不知谁拉下了空隙，于是使我们接续着不断的一阵一阵的狂跑。黑夜里人马交拥着，稍一不慎就会失了联络，我同悔深用低小的声音叫着以保持我俩的联系。

半夜里下了一阵雨，内面的汗接和了外面的水，但一会又暖干了。月亮升上来了，穿过天空的层云，“八千里路云和月”就是这样解释吧。我们走过村边的时候，惊醒了打麦场上的村民，我们又看见远处一闪一闪的明光，大家都不作声。

我们疲倦的程度，一两分钟的休息，躺在润湿的麦地里就会呼呼睡着。于是同悔深我们约定轮换着休息，大军停止我们该谁休息时，就急忙伸展四体仰卧在湿地里，不用说浑身上下滚得像一条泥猪。

十九日天明时候过浍河。因为只有二条渡桥，所以几万大军几里地都拥成了人马，这时候要是敌机来轰炸，真是一个大问题，但是听说敌人吓退了，或者全不知道大军的行径神秘，沿路一天并没有见到敌机的影子。

过来浍河天大明了，看见我军各路推进雄伟的行列，看地图这时候该正是走在敌人蒙城永城间的封锁线内。我们清清楚楚地看见路旁敌人烧毁的村庄。老百姓指点着说：三五里地的村庄里就驻扎着敌人。我们走过的大路上，麦田里，纵横着来往交错的敌人坦克车压过的痕迹，但是我们平安的走过了，并没有遇见半只毛鬼子。

距曹市还有三十多里，据说已突过了危险界，于是真走不动的人，就撑不住的开始落伍。我同悔深也成了一步一步的挪移。天晚时我们赶到了曹市，一问军团部早宿营在顺河集，距曹市还有二十多里，同胡定芬、杨昌震等，无可如何我们又耐苦的赶过去。深夜里才走到顺河集，我们在一家打麦场里憩息了一夜。

廿日早晨我们去见参谋长。胡定芬先生说："参谋长的神计妙划大军平安地退出来。"参谋长很得意的说："所有的重武器都一齐拉出来，军队依然还是我们的军队，"这是我们胜利退却的愉快。

完全出了包围线了，可以单独行动了。和参谋长李处长交涉派汽车送我们到涡阳，我们又走了两天才到亳州。听说兰封也发生激战，更引起我们为报社的忧虑，于是改变计划走周口漯河赶回郑州。廿六日到了郑州，大刚报社幸而还没有搬家，悔深也算到了可以暂时安憩地。但是听说《民国日报》已迁到南阳，我还有几百里的土路，还得奔波。

（完）

突围前后

李　蕤

（一）已经不早

在运河线的邳北和禹王山血战正酣的时候，陇海路两段却出了岔子，永城被丑类侵入了。

永城就紧傍着铁路，如果敌人缠到铁路线上来，它是拼死也不肯放手的。为了工作，我们有预先突出的必要。于是，在五月十三号夜，敌机夜袭之后，便和另一个朋友，告别了徐州。

月亮非常明，每一条街市，每一粒灯光，都使我们觉得依恋，觉得温暖。

车站附近，因为连日遭敌机滥炸，景象非常萧条。靠着票房的民房，一幢幢都成了残砖碎瓦，许多苦力，就睡在那废墟的中间。

车站上早已没有了火车。满眼是炸裂了的车身，翻起的铁轨，和正在延烧着的平民的房舍。

工人们正用铁锹、铁锤兴奋地工作，把成了坑的路基填平，把弯曲的铁轨匡正，神情是愉快而严肃。站长沉默的坐在手轧车上，东西来往奔驰，为乘客们试探新修好的路基。

下两点了，三点了，眼看就要黎明，但路还没修好，车今夜已无西开希望。小贩们警觉的匆匆离开车站，往城郊躲避去了，因为天一明准定有敌机轰炸。只有从前线归来的伤兵，还睡得酣酣的在站台上，绝望无助的难民，还死守着没有车头的空车，看着他们，鼻头不禁酸疼起来。

在深夜中，雇人挑担着行李，徒步西行。中途遇到一辆牛车，大家便爬了上去，大路上尘土近尺，我们很快便被饰成了土人，可怜的四轮太平车，虽然有三头牛拖着，一夜却只滚动了十几里路。

这一站仍没有火车，只看见敌人的飞机，一批一批的划过蓝天，向徐州方向奔飞。午间，有人往徐州来，说今天城区遭了悲惨的轰炸，我们昨天还住在那里的大同街，也成了瓦砾场。

徒步走到郝寨，消息已更加不好，说敌人已越过永城，离铁路线只十八里地。当时站口停着一个车头，说是要到杨楼换水，我们便爬了上去，谁知道这个火车头却一夜不曾挪动，天明的时候，另外的消息传来，敌人已经把小李庄的桥梁炸断了。

一早，有一列车从南边开过来，是昨天开过去又折回来的，另外有一辆钢甲车西去，据说使命是去修桥，因为听说敌人在破坏桥梁后已经向远处遁逃了。

于是，我们带着希望，又离开郝寨西行。

在杨楼车站上，碰到黄口车站的站长，他说敌人已经侵入小李庄车站，早上开过去那辆钢甲车，修桥时遇到了敌人的坦克车，现在正和敌人炮战。

“早上九点钟，还有五十 × 军的大部队通过，大队快过完的时候，敌人突然从队尾抓了下，只损失了一些辎重车马。”

最后，他告我们说往南绕七八里，或许仍旧能够通过，于是我们便又冒险西行。

在沿途，看见许多我们的军队，有些东来，有些西往，都显露着异常紧张。敌机扑着大路来往侦察着，我们须不时躲入麦田中间。

快到黄口的时候，逢到许多从西边折回来的人，他们说西边已经不能通过，敌人已快追近黄口，其中还有两个折回的骑兵，在那里突围时受伤的。这样，徒步通过已经没有希望了，于是我们只好又折回杨楼。

回到杨楼，天已昏黑。三天的跋涉，人已万分疲乏，我们便倒在车站一旁憩息。我们所携带的东西，开始忍痛割弃，行李“存”在杨楼站长那里，敌人的旗帜撕碎掷在污泥里，许多爱读的书也只好放在麦丛里面。

完全出乎意外的，在这里逢到了记者群的大队，添加了不少安慰。晚上，我们的大队闪过铁路，住在一个小村子里，当时总政治部的抗敌剧团也在一起，队伍越裹越大。

那天深夜，犬吠声大作，马蹄声从远处追近，我们惊慌起来探视，原来是张自忠的部队从徐州赶来，我们的心更加添了不少的安慰。

天一明，敌机便沿着大路，向所有的小村搜索轰炸，附近的许多村子都中弹起火。在最初，我们都躲入树林内，麦田中，后来因为避不胜避，连吃饭的功夫也没有，大家便索性坐在屋里不动。

渐渐的，大炮的声音听见了，随后听见“噗噗噗”的机关枪声，自东向西的战士，从麦田里分路向前，一切告诉我们说火线离我们并不很远，但我们曾经目睹过士兵在鲁南英勇作战的人，仍然十分镇定。一会，××师的手枪营也来了，还有几十个服务团的男女同志，大家更觉兴奋，准备着夜间突围。

中间有一点多钟，机枪声密如连珠，我们的联络员，穿梭似的来往问讯消息。

突然的，从村的右侧方，大炮隆隆的轰过来，炮弹发着悲惨的哨声，很响亮的在村头的顶空炸裂，这时，队伍很快的集中，向东移动，整个的村庄，全为烟雾和尘土遮住了。

和三位朋友，我们紧握着手，从麦田里，树林里，尾随着队伍前进。雨下起来了。敌机低飞着追赶。我们伏在村边的竹丛里。跑一段，走一段，停一段，终于和我们记者的大群失离了。

（二）又折回徐州

“我们应该想尽方法重新找到我们的大营，再不，便须连忙附着上一个强有力的部队”，散乱的难民般的逃奔，是没有出路的，这我们知道。但我们的大营在那里呢，强有力的部队又往那里找呢？太阳要落了，我们是又饿、又渴、又乏，我们有三天没好好吃，四天没安生睡了。

退往徐州，我们知道磨难更多，所以便立意到郝寨住下。但到郝寨后，却只见人潮水般的东行，同时听说萧县附近，也和敌人发生了激战。

四个人默而无声，只好再走。

夜是黑漆漆的，路因为长时间被车马蹂躏，皮肤早已稀烂，沿路尽是浮土。马、人、担架、货车、挑夫，蜂涌似的似泻成一条大潮，稍一不防，人便跌到路基下的小溪里，或者谁伏在谁的背上。

从黑暗的原野里，时时吐露出猛烈的火光，有人遥指着说那是敌人的战车。队伍里有一些火光透出来，便引起人们极无情的责骂：“汉奸吧！想拿大钱头吧，他奶奶的！”那被骂的人便一声不响，把纸烟熄灭。

快到徐州近郊的时候，迎面有许多炮车开过来，另一条大道上，也迎面开上来许多生力军。这时背后似乎觉得树了一个城廓，当夜就住在一个荒村里。

第二天黎明，刚爬起来，便听见有汉奸放枪，一会炮声便又从背后响起来。

徐州越走越近了，蒙着雾的云龙山遥遥的出现在面前，那巍峨的山峰，那山头的庙宇，都是熟悉的，但在这时候，心情已是另外一种。

到徐州近郊的小村中，听说司令长官部还驻在那里，但究竟在那一个家屋，却寻不着。后来找到十三军的通讯连，他们告诉我们很多消息，并善意留我们吃饭，我们因为已经两日未有米粒下肚，便也不再客气的准备在这里吃一顿饱餐。

饭刚摆上，吃了一嘴，突然炮声已到了头顶。接着四五架重轰炸机，也已经从远处驰来，我们本能的丢下碗筷，跑出村梢苇塘里躲避，刚跑入苇塘，便听见炸弹炸裂的声音与炮声浑成一片。好容易敌机远了，我们再赶快出来时，招待我们吃饭人却已一个不剩，屋子里却只寂寞的剩下我们的碗筷了。

人、车、马、汽车，都匆忙的东移，集中在云龙山侧待命。城里的老百姓，也扶老携幼的盲无目的往东方南方奔逃。

冒着危险，用极度紧张的心情，又进了徐州城的南关，每一条街，每一条巷，都冷冷清清，阒无人声，几条街前车水马龙的街道，都只剩崩飞的砖瓦和烧焦了的梁柱。卖东西的人很少了，好容易找到一个卖“变蛋”的老妇，买了几枚咸蛋，但想到她是因而两眼变瞎不能逃走，喉咙又有些梗塞觉得不能下咽了。

云龙山侧的汽车场，停着几十辆汽车待命，我们因为找不到更好的团体，只好把生命暂时交给了他们。至于他们开不开车，几时开，开到那里，我们已无心过问。

炮声更近了，有几颗落在城里，汽车也排成队向关外移动。但走不到三五步，便有敌机光顾，便须下车躲避，在最后一次躲飞机回来，汽车已经开行，我们的仅有的大衣图囊也无影无踪，赤手空拳的被抛入难民的群里。

五天的挣扎，所得到的结果与一切最坏的遭遇一样，这时顿然感到万念俱灰。敌机扑着大路上空，肆意低飞侦察，但我们却毫不介意了。

在津浦路东的一个高陵山，心底觉得非常空漠。“就这算被封锁了么？一个人会就这样活活被围在里面？”自己几乎不相信这是事实。但，南、北、东、西那一条路好走呢？

正在彷徨歧途的时候，忽然碰到长官部汪止豪君，他带给我们长官部的集中地，我们的眼前又闪出了希望和光明。

（三）也通不过

顺着铁路往南走，队伍是越黏联越大。

我们计议着，如果突围不出，便到“灵壁”“淮阴”游击。空气此时从森严一变为愉快，每一个人都是轻快的步履，队伍里时时有响亮的歌声和笑声。

半天的跋涉，走了一站。恰好徐州有两列车开过来，长官部人员也分批赶到。在深夜里，在炮声隆隆探照灯四射中，我们的队伍开始有秩序的入车厢，从容的向南开行。

临上车的时候，在车底下，捕获了一个汉奸，大家把他缚在树上，给他鞭打和侮辱，最后把他枪毙了。

车走了一夜，天明时，我们满以为到了南宿州，谁知道一夜只蠕动了一站。原因是，前面车站有汉奸纵火，将列车焚毁，阻住了去路。于是徒步行进又开始了。

津浦南段，居民因为受战争的威胁，大半都已经逃亡到他处，我们行经的地方，什么吃的东西都找不到，饥饿得难熬，往老百姓家买一些高粱面，拌成糊浆，许多人争相取食，连眉头也不皱一皱，在 × × 村，许多官员都亲手掘取地上的红薯母，剥去枝叶，很甘甜的大嚼起来。

写到这里，顺便想起了军民关系的调整，第一次军队撤退的时候，总有一部分军队纪律不好，骚扰百姓。但是，就事论事来说，这又未能完全责备军队，他们不是圣人，不能在饿死冻死的时候束手待毙，同时他们在前线出死入生，人民原应该对他们负担最低限度的招待。如果调整得好，军队一定减少许多困难，老百姓也减少许多苦疼。譬如以上述的事实来说，大家饿得吃红薯已经算是够委曲了，但培栽红薯母的主人这一季却就此没了收成，如果调整得好，老百姓是可以得到钱，军队是可以得到食料的。

在饥、渴、炎热、疲倦的夹攻中，我们无止息的走着，许多在前线都是生龙活虎的战士们，现在都成了乡下裹脚女人的姿态。但生之希望导引在前面，死的恐怖赶追在后面，每个人都毫不吝惜的向生命中汲取奋斗的力量。许多胡子花白的老参议，跟着大队行息，一步也不落后。最使人感动的是一个女人，背上背着一个八岁的孩子，手里还擎着一个十四岁的，也永随着我们的大队，她没有哭泣叹息，连怨艾都没有。走到一个村庄的时候，她便成为义务的宣传员，历述暴日的罪恶。“敌人一来，你的一切都不是你的了！”她劝老百姓尽量帮助自己的军队。在她手里徒步奔跑的孩子，不但不哭不闹，而且每到一个地方，还能替她妈寻找吃的东西，日本帝国主义者压迫吧！压迫的另一面便是锻炼，看，我们的妇女和儿童也慢慢的成了钢铁般的斗士了。

天快黑了。南宿州快到了，敌机虽然时时把人逼到麦田中，但心里却似乎有许多安慰，因为到南宿州后便可以突围了。

但，突然的，迎面许多队伍折回来，行色匆匆，人用着急步，马车简直是飞奔着，人像遇着礁石的潮水，折回来成了一个漩涡。

互相耳语着：南宿州在下午两点钟为敌人占领。

南面、北面、西南全是敌人，东面是海。我们自由行走的地方，目前已经只剩了几十里路的一条窄线。而且，这条窄线还在一寸寸的缩短着。

但心从集体上拆散，三人一簇，五人一群，各自计议着“活路”，西边落荒呢，敌人的警戒线太繁多，太长，随处都有被俘的危险；东边落荒呢，暂时虽能苟安，但脱险无日，坐待着一天天成为枯鲋。天昏黑了，包在四围的是茫茫的大野，我们连冷水也有两天未曾沾唇了。同伴们相互对视，都互相苦笑，朋友冠生，此时两眼已经深陷，嘴唇已经只剩一线是润湿的了。

“怎么办呢？”回答的，只是四野的风。

肢体经过五天的挣扎，本来早已不能支撑，希望的明灯一灭，干脆成了零散的机器。“完了！”大家绝望的叹息着，我们决定今夜投宿在铁路东侧的小村中，明天再说。

明天“再说”些什么呢？我们自忖着生命的索子已经断了。

（四）穿过浍河

进了小村，想找些东西吃，找块平地睡。

在乌黑的小巷口中，逢到一个弟兄。意外的听他说他们要“开拔”，向西南“开拔”，意外的听说这小村里有他们的旅部。

我们如同在江心里的人看见了一块浮木，便用种种不致遭拒绝的方法见了旅长。蒋旅长为人慷慨，答应我们随队突围。“快吃点东西吧！三分钟便要出发了。”

不顾它能不能支撑，大脑又给双腿下了命令。

队伍在黑夜中出发了，像黑夜的小溪一样，这一支队和那一支队汇合着。谁都没有声音，用电棒问讯，用电棒回答。为了易于辨识友敌，我们每个人的脖颈都勒一条白的手巾，队伍在山坳弯弯曲曲的行进时，从模糊的夜色中望过去，如一串埋着天边暗云里的星星。

山横在面前，路几乎完全看不见，我们的脚，代替了手，代替眼睛。马蹄不时为青石所滑倒，跌倒在小涧里，费了好多时候，才登上山巅。在五分钟的休息时间中，士兵们找到一口井，汲了些泉水出来，大家争先取饮，味道比葡萄酒还要甘甜。

下了山，又掷到迢迢的路上。军队的行进快慢是不匀称的，一会便须一段跑步。在最初，还留意天空的星星，周遭的景色，并行着的友军的行列，渐渐的，意识界成了一片模糊，一丝记忆是向前走，紧紧的跟着走。眼皮沉重得时时想压下来，稍不留意便走入麦田里，两条腿似乎不是筋肉连贯着，似乎成一条什么木头做成的简单的机器。

军队稍一歇止，我们便把身子很快的平抛在麦丛中，朦胧的睡去。

天明了，队伍像小川似的一队队分流在乡村中。队伍一停下，在路边我便打起瞌睡来。

军队刚一宿营，敌机便追踪赶到，但是因为军队纪律整齐，隐蔽得好，所以敌机尽管轧轧的飞来飞去，却搜寻不出目标来。

下午，蒋旅长对我们说今夜大约无论如何要跟敌人接触，他们这一师，担任 × 翼，他这一旅，又是 × 翼的先头部队，他说为了安全，很愿意我们都到军团部去。

旅部和军团部，只隔二三里，过了小河，便望见村落。进村梢的时候，入眼便看见《新蜀报》记者石宝瑚君，我们是聚而又离，离而又聚了，相见时的愉快，真是不可言喻。

接着又看见许许多多在徐州熟识的朋友，大家都神色愉快的卧在绿树下，互相叙述此次脱险的经过，当我告他们说杨楼一干朋友被冲散的时候，大家都非常忧念。

不分昼夜的走，忍饥忍渴的走，今天已经是第八天，脚掌脚踵，早已起了血茧，再走下去，真是没有可能了。离开第 × 师旅部到军团部来时，原计划找到长江兄后，死也得讨一匹牲口。但到这里后，看见每人都是绳捆着脚，手扶着杖，自己立刻觉得过奢的要求是一种羞耻。

“磨穿了也得走啊，今天是生死的关头，不然你八天的折磨丝毫也没代价。”低语着，将两条布绑上双脚。

夕阳西下了，队伍很快的在广场上集合。× 军长在队前中央站着，用强有力的声调宣读军令：“吸烟——

枪毙！吵嚷，枪毙！骚扰百姓，枪毙……”干脆得很，一触军法全是枪毙！本来这是大家生与死的决斗，有谁妨碍群体的生存，自然应该先让他死掉。

十几万人的大队，在原野上伸张着，如一条巨蟒，马队在队两侧逡巡监视，一阵风般的过去又转来。驴子因为忌讳它的长鸣，在命令下被人无情的用大棍鞭打到麦田里，但，不惯于自由生活的它们，反觉得茫无所依，仰天悲鸣起来。

大队宿营的地点，事先是很少人知道的，敌人究竟在那里集结，也还一半靠着临时尖兵探查。冲过第一道警界线的时候，除了大家悄悄无声脚步有些急促外，什么动静也没有，于是我们便盼着赶快过去浍河。

整整的走了一夜，浍河仍然没有踪影。大路的两旁，许多牲口因为疲乏倒在路上，作垂死的喘息。人更疲乏得难以形容，幸亏西方起了一块乌云，落了一阵疏雨，人们经过这些风雨的吹打，精神又恢复过来。

天黎明的时候，大队到了浍河岸边，虽然过去河后才是穿过敌人的警戒线，但大家却非常兴奋。过桥的时候，命令一律跑步，以备在中渡受到敌人的袭击。过去桥，士兵们很快的伪装起来，适才的车马行人，都变成一丛丛绿树。

几辆重炮车，抱着笨重的身体，从运河线翻山越岭，也赶到此地来，平平安安地渡过河岸，遥望着后车的卷起的烟尘，深深的钦佩汤恩伯将军的镇定和指挥有方。

浍河这边一直到曹市集，几十里地全是敌兵到过的区域。在麦田中，很清楚地看见敌人坦克车辗过去的轨迹。许多村庄被敌人焚烧了，青烟还正缭绕在空际。据那里的居民说，在离我们十里八里的村镇上，都还有残敌盘据，不过因为我们的军团强大，敌人不敢生觊觎的念头。

离曹市集十八里的地方，我们再也走不动一步了。饥饿得难挨，便采些桑葚来吃，渴了，便随便舀一些冷水来喝。苦难的行程，我们已经连续了八个昼夜。

大队逐次地通过了，我们渐次被闪在后面。“少数的敌人，不敢招惹我们的主力，但在部队快完的时候，它一定要扰乱一下。”这样想着，我们就拼命再往前挪。突然在右侧的斜路上，飞奔过来一群马队，每一匹马都是苍青色，马上的人一律是黄色服装，许多人以为是日本人，本能地最快加跑起来，令人觉得十分好笑。

事后出了很贵的票价，“搭”上一辆牛车，才算到了曹市集。如果凭我们走，至少要拧到天黑的。

在曹市集村北一个水坑边，和冠生坐下休息，洗脚。许多渴得难耐的人，赶到便在坑边捧水取饮，毫不介意。

曹市集，位居永城和蒙城的正中间，敌人从蒙城窜入永城，这是正走的大路。街道上满是刺心的坦克车的轮迹，敌人两天以前还在这里盘据。所谓安全的，就是这里只两面有敌人，可以扎稳架势和敌人厮杀。这时，每一个兵士，都又如出了樊笼又凭借了山势的猛虎，虽然饥疲交迫，但兴奋的形色却充溢在每个人的眉宇间。

晚上，又赶了十五里，住在 ×××。那个村镇子，是鼎足形，三个村在一起的。在环道上走着，因为没有灯，路途不能辨识。后来，便和朋友冠生“宿”在农人麦场中的一个车上。夜里忽然起了大风，在一件薄雨衣下裹着的我们，任怎样往一团蜷缩，仍然抵御不了袭来的寒气，如果不是又寻到了个半人高的矮车棚，我们简直要冻死了。

（五）走上新前方

大军团到这里停止行进，又翻过手去打击永城、萧县的敌人了。我们第二天便也辞谢了汤恩伯将军，奔向辽远的西归的路。

又是五天的风打日炙，到涡阳，到义门集，到亳州，到周口淮阳，最后到漯河转回郑州来。

到涡阳，恰好逢着敌机盘头轰炸。到淮阳，听说敌人又从菏泽铡断了兰封，同时听说，杞县太康已有了敌人，整个的河南已经动荡起来。

到我们赶到我们的后方（郑州）时，那里已经成了新的前线了。

（完）

出徐州有感

一四〇师工兵连连长　胡法先

徐州突围凡七次　阵亡同志不惜死
倭寇铁骑任纵横　汉奸助纣太无耻
热心男儿为国殇　愿掷头颅在疆场
东望徐州空悲切　不到辽宁不还乡

战车炮队长

鲲

刚刚脱离了敌人，这一部分队伍走到小河边上休息。

坦克车来了！

又渴又饿的士兵们正在河滩上喝水，一刻难以制止的慌张。

散开！预备迎击！

战车炮拉在那边树底下，准备开炮！

旅长三脚两步跑上土坡瞭望飞速前进的敌人。回头看看走了一夜路，遇到两次敌人，冲杀疲敝的士兵，心里躁，头上不觉得出了一点汗。

坦克车共十二辆，前面七辆，后面五辆，从一条小路上来。一边是断断续续的小土坡，一边是河。

头一辆离这里一千二百米，车上的小钢炮不断地打过来。

不许乱开枪！士兵们都拿起手榴弹。

开炮！旅长命令战车炮队长。

队长在瞄准，动作太迟钝。

“报告旅长：等它再近一点！”

“过来了啊！开炮，队长！”一个炮手着急地喊，队长不理。

工隆工隆地，坦克车越近了。

“× 队长，开炮！”

“报告旅长：等它再近一点！”第一辆车距离只有六七百米了。劈劈拍拍地，士兵们开了枪。

“你还不开炮，打什么主意？”旅长严厉的声音带了些嘶哑；头上暴起青筋。队长咬紧着嘴唇。

一个炮手想把队长推开，他来动手。

“滚开！”队长激怒的眼睛瞪得多大。

“可是我命令你开炮！”旅长也发怒。队长一声不响，仿佛没有听见。

“汉奸！先枪毙你！”旅长拿手枪指着战车炮队长

的胸前，队长跪在地下了。

“报告旅长，枪毙我也求你再等几分钟！”

疯狂的铁兽已经到了三百米以外，机关枪弹雨点一样射过来，我们的士兵们有的向前冲，有的向后退。

砰——砰！连着两响。

第一辆车像中弹的野熊一样一翻身倒下了。第二个炮声是紧跟着第一响爆发出来的。然而目标不是第二辆，大家同时看见第七辆坦克车不动了。

“哈！”人们欢呼起来。

于是一条单线中间的五个坦克车在前进后退都没有路走的几分钟之内，被这沉着的队长一弹一个地都打中了。第一声“砰”，士兵们拍着手一阵喝彩。

轧，轧，轧。我们的机关枪射击敌人的骑兵。

“杀！”士兵们高叫着迎上去。后面的五辆坦克车很快地转身退了。骑兵们向后飞跑。

“打得好！”旅长拍拍队长的肩头。

“报告旅长，我们统共只有八颗炮弹。”他一只手抹一抹头上的汗，一只手指着剩下最后的那一颗。

这个部队是属于孙连仲将军的。

随军突围记

麦　萍

一　离徐前夕

自五月九号起，敌机即以大量炸弹，毁灭徐州。天一发亮，敌机的轧轧的刺耳的声音，即惊醒困疲的睡梦中的居民。由于习惯的昭示，居民对于大批敌机之来，像瘵夫对于苍蝇一样讨厌，而无可如何。黎明，居民们即各扶老携幼，并携带应用物品，赶到四郊树阴下或麦田中去躲避。城内的商业完全停顿。但由于对于长官的深切的信任，往外省逃的实在太少。大家总以为战事前途乐观，谁也不愿先逃走。

因受连日的轰炸，徐州各车站、各机关、各热闹街市、各居民区域，多半成为瓦砾，大火是整天的在燃烧。

因为一日轰炸几次，警报迄不解除，谁敢救火！十四号轰炸之第四次，我一小部火药库，被火势燃爆，“乒乓轰通”之声，不绝于耳。入暮，在四郊的居民，才敢暂进城来，搬取什物，查看损失。在大街小巷，虽有月光，然常有被倒下来的电线绊倒的危险。

十七号上午九时，倭寇即自徐州西四十里的郝寨，发炮打至为徐州外廓的九里山。当日下午一时，敌坦克车一部，冲入我防卫线，发炮打至徐州西关，二时打至东北两车站。

入夜，徐州已成死城，居民都逃往四乡，军队亦按预定计划开出。孙连仲部奉命守城；汤军团沿陇海线向西南；于学忠部固守原阵地。记者随行政院非常时期服务团第三队，在徐州南关之段家花园，与第五战区司令长官部之一部汇合，乘大卡车沿津浦线向南，戴月长征。

沿途军队甚多，分左右翼搜索前进，黎明即达孙家寨。孙家寨在宿县东北，彼此相距三十五里，是一个小庄。我们到达后，即由总部命令将各汽车很巧妙地掩护起来。在这里，一直过了白天。夜一时，大小汽车十九辆，李司令长官与白副总参谋长当然在内，沿途不准开车灯，揿喇叭，即浩浩荡荡，戴月披星疾驶于狭小之公路之上。

奇怪的是，在这么重要的地方，在这么紧张的时候，我们在徐州并无一架飞机，与一尊高射炮。

二　戴月长征

有两辆卡车因路狭驶猛，又不准开灯，倒翻于路旁沟中。为不因这两辆卡车耽误大军的进行，只有让它们躺在那里，谁也不去理它。不过旁的车上因此又现得拥挤罢了。

所经各村庄，都鸦雀无声，只见有些当地驻军在燃柴烧饭。见汽车一辆一辆地开过，都木强地站在那里呆看。有些村庄的狗在遥遥地吠着——有所警觉地吠着。

在天亮未达施庄之前，沿途有许多难民，用四轮牛车拉着老小男女，在各大路上，像人绳一般，形成几条黑线。他们都是从宿县北部逃出来的，车上载着粮食与燃料。男男女女，风尘满面。见我们成列的汽车开过，都月惊异的眼睛观望。将牛车开进麦地，让我们驶过。

施庄也是一个小庄。也唯因它小，我们才驻到里边。庄里的人都没有逃。在这里有鸡、有鸭、有水塘、有垂柳、有菜园、有粪堆。下车后，我见李司令长官穿着一件落满尘土的毛大衣，身体越发显得粗短了。慈祥的面容上，嵌着两颗炯炯的眸子。

我们在这里大吃大喝，村里所有的鸡卵差不多都叫我们买完了。敌机一连来了好几次，有时两架，有时九架。我们将汽车掩蔽在树下，四围用高粱杆罩起来，警报是用铁啸报知。白副总参谋长腰后面皮带里插着一支精致的小手枪，精神显得分外饱满。

大路上逃亡的难民太多，敌机便不时在四外侦察。因此庄外放出步哨，禁止难民入庄，免得成为敌机轰炸的目标。但纵然如此，敌机也似有所觉。所以参谋处下午四时即命令全体开行。这事我们外宾因不知底细，反以开行太早，易为敌机侦见，唧唧哝哝，表示不快。不料在我们开出不久，就有四架敌机将施庄炸成焦土。又寻踪追逐，在附近几个村庄投了不少炸弹。我们见敌机飞近，都下车到麦田中各寻掩护，亲见敌机以蜻蜓点水之势在就近庄中低降投弹。因为我们的汽车有的开到树下，有的满插树枝，敌机瞎眼，没有看见。这才逃过难关。待敌机去后，我们即急速登车，各擎树枝，时暮色四合，倦鸟返巢，我们的卡车即以风暴之势，疾驶于麦浪如海的公路之上。

夜深始达小吕庄，因此处距敌甚近，即汲水造饭，折枝为箸。饱餐后，乃将大小汽车尽弃于此。除第五战区三五将领乘马外，其余如参谋处、秘书处、副官处、行政院非常时期服务团、行政院派战区赈灾专员办事处，尽皆步行追随。在长官沉痛的训话后，各人捏着一把冷汗，负着行囊，遂于午夜后仆仆就道。奔波了一夜，天明始达许庄。即分驻于附近各庄中。在此处有中外记者多人，及第五战区动员委员会一部赶到，即皆汇合安歇于此。敌机不时侦察，有一次有十八架掠空而过。

三　与敌遭遇

在许庄起身的时候，夕阳尚高。这时因大军云集，第七、三十一、四十八、七十一四军分三路出发，以战斗的姿态分左右翼搜索前进。在两翼掩护之下，我们也各咬紧牙关，在加速马力，随大队迈步挺进。这时满月初上，大地皆明，若华灯高悬，助我行军。于一望无际之麦野中，我们那伟大蜿蜒的队列，前不见首后不见尾，浩浩荡荡，向前挺进。一夜奔波九十余里，天明始达淝水。

淝水，虽不宽深，但却是个重要渡口，是敌人对我的第一重封锁线。五月二十一号，我三路大军，约四师人，其中有一连平射炮队，都汇集在淝水，要过同一小桥。小桥是用门板与石条砌成的，狭小而离散。在这小桥八里外的双桥，敌人屯积军用品甚多。十五里外的陈集，也有一部分敌人。它们是用蟹螯来控制这个渡口地。我们的人数太多，而桥又狭小，所以一直过到正午十二点，还有大批人马继续开行。正当这时，有敌机两架前来侦察，李司令长官及一部分还没过河的人都进入临河赵庄暂避。好在河岸芦苇很多，军队都躲入其中。待敌机回去报告时，我大军即作急行军迅速过桥，散布于隔河大镇褚家集及附近各小庄内。待倭寇大队开来截击时，我军未过河的只余两团人，此时机关枪声与炮声甚密，据说敌骑五十余，坦克军十七辆出动，但因我大军已过，坦克车无所施其威。在敌我激战数小时后，敌即退回双桥。

过河后，被我俘获敌给养车三十余辆，倭寇十余人，夫子五十余。夫子均为我国五六十岁的农民，据他们说：“因大批敌人均开往永城黄口一带，此地所余寥寥，唯枪械甚多。倭寇中有许多女人，中日都有，均令薙发戎装，用张声势，布置疑阵，以骗我军。此地少壮都入红枪会，我等老弱在家留守，不料被其掳作夫子。”

褚家集一带居民，因曾受倭寇蹂躏，见我大军开至，无不喜形于色，争送饮食，如款故友，军民感情融合无间。据彼等云：“倭寇时有小股下乡搔扰，将四乡牲口一齐掠去，每于夜间，绕行各庄，轮流不断，用张声势，不外怕我乘虚扑灭。

“倭寇每次下乡，即将乡中鸡鸭羔犊之类，捕捉宰食，临行屙屎锅碗中，并于其不食之杂粮中撒尿，用棒搅之，为害甚于狼鼠。居民恨之刺骨，每乘间用刀刺杀其小队以泄愤。

“倭寇曾来褚家集，呼人汲水煮食鸡鸭时，每撮唇作‘灭灭……’之声。均着大皮鞋，走时一颠一簸，状如狗熊。黄昏即各燃大烛而行。呜声呼呼，不辨何意。见妇女则强奸，奸后刺死！”

今天敌机不时侦察，我们休息至下午，因连日奔波，困疲不堪，多雇驴而行。入夜细雨如毛，夜色昏暗，因此我前后部队多失联络。又要渡过敌人第二重封锁线的涡河。幸我先头部队已将临河大镇界沟集内防守敌人于日间消灭。因此敌机在集内投弹甚多，桥亦被毁，迄夜间我们赶到时，桥已用门板架好，唯两岸村中，余烬未熄，情形悲惨。

过河后，参谋处发现麦地中有敌人，我机关枪队即迅速展开，桂军于劳疲之余，其动作之敏捷，神色之镇定，殊为可佩。随即开始搜索，才知麦地中皆是村内百姓，见大军过境，以为倭寇大至，皆匿居麦地中。因白天倭寇一部随坦克军逃走时，所穿所戴与我军头戴钢盔身穿草绿色制服大致相同。桂军说话它们又不懂，因此发生误会，一场虚惊，就此结束。

四　弹落肉飞

由于一夜阴雨，又跑错了路，浑身上下湿漉漉的，两只脚好像要在泥里生根一般，步履十分艰难。过了涡河，又加之受了点虚惊，身体直困倦地像木头一样。两只脚在下边机械地幌动，不敢歇，因为一歇就会睡熟。敌人就在左近，那里敢睡！过河又走了二十多里，到了一个村庄，赶入大队，心里才像落下块石头。

我们一行人的腿真挪不动了。连夜奔波，又饥又渴，又倦又痛，浑身没有一块地方好受。等我们到了周庄——不过只有两户人家的周庄——的庄外的时候，我们便发现了丰美的食物。

桑树上的桑葚是又肥又甜，大家围着树，攀枝掠叶，大吃特吃，真的，碰到这种美味，那能轻易放过！

后来见有一部分军队也向这个庄里开，我们才走进庄里。放下东西，满庄只剩下两家房主，两个中年汉子。因为大家都觉得敌人的两重封锁线都突破过了，可以大吃一顿过过瘾。

我们向房主买了六只鸡，四只鸭，宰了洗净，满满煮了一锅，预备要大嚼一顿。

这时天已过午，不料有一支军队，事后听说是三十一军，一百三十八师补充团，因为当时没有开到指定地点，只好白昼行军。刚摆成长蛇般的队列经过周庄的时候，这时我们几个人正在喝鸡汤。不料敌机四架自远空而来，因为发现了目标，敌人的机关枪声与炸弹声就响成了一片。统共只有两户人家的周庄，就一直轰炸了半小时。

当场死三十余人，驴一头；伤者不计。记者身旁落了六个小型炸弹，因此左股上被炸弹碎片豁了一条血口，一条长三寸深半寸的血口。好在这个地方肉厚骨深，炸掉个四两半斤满不妨事，只是精神的震慑，比较大点。

正在庄前桑树底下剥食桑葚的先开进的一部军队，这时表现的真伟大：在血肉横飞的当儿，谈天的仍旧谈天，唱曲的仍旧唱曲，剥食的仍在剥食，谩骂的仍在谩骂，虽有同伴死在身旁，但仍从容不恐，只是身体一动也不动一动。那种精神，真令我佩服得五体投地。

五　突围路线

在周庄被炸以后，我们这一行，由行政院派战区赈灾专员曹仲值去向李司令长官致谢后，就脱离了大队，连夜赶程。翌日下午四时我们就到了凤台县的阚疃集，一个大乡镇，这才算到了真正安全地带。

我们这次突围的路线：是由江苏徐州起，经安徽的宿县、怀远；绕经蒙城之南入凤台。再由阜阳入河南之固始，过了潢川才到信阳。

二十四号上午，倭寇以为李司令长官到了阜阳，便用大批飞机将阜阳炸了个粉碎。其实是判断错误，那时李司令长官不过正在阚疃集。

在我们来到之前，阚疃集捕到两个当敌机来侦察时在桥底下照射镜子的汉奸。处决后，陈尸集外，经三四日之久。

过了界沟集所经各村庄，人民以为倭寇大至，多逃亡一空。我军入庄，不但买不到东西吃，连杯开水，也弄不到。米麦更不用提。从这点看来，我们的政治工作实在不够。

被炸伤后的滋味是：体热心焦，口干舌渴，两眼发花，恶心作呕。因为被炸，记者对于伤兵生理变化有更进一步的了解，这却是个绝大的收获。

六，二，写于汉口

徐州退却

张一麐

殿军更比进军难，血肉纷飞心胆寒。

道是临淮移壁垒，行骓莫作愤王看。

赠素园

王昆仑

突围原不计艰难，豪气堪教敌胆寒。

今日全军犹死战，烽烟满地将须看。

我们怎样突围出来的？

青年军团　钱瘦梅述　白克记

一

我们——第五战区青年军团抗敌剧社第一二中队，五月六日晚上由鸡公山出发，沿平汉路北上，到郑州转陇海线，九日的晚上到达徐州。一到徐州就遇着敌人无情的大炸，白天简直没法工作，只能利用黄昏薄暮的一刹那到各处去活动。十四日，我们得到司令长官部的准许，各方面也都准备妥当，择定了“中正堂”作我们的剧场预备晚上开演，不料当天下午，敌机来了，一颗炸弹刚巧扔中了“中正堂”，于是什么都完了！

二

到徐州一个星期，天天遇着轰炸。城里的老百姓最初几天还很镇静，商店白天关门，一到晚上就活跃起来，满衔熙攘，天亮才歇市。但最后几天也不行了，夜市渐渐冷落萧条，大家都躲到城外乡下去了！十四日，徐州城内，受敌机更厉害的轰炸，异常凄惨，看情形是势难再住下去，经大家商量结果，搬到城外云龙山下张家祠堂去住了一晚。

十五日早晨，生怕敌机到附近村庄轰炸，我们全体就离开张家祠堂，在树林里休息。路上遇到司令长官部的一位同志告诉我们说："黄口被敌人切断了！"翻开地图一看，知道不妙，于是急忙到司令长官部去，预备探听消息。因为避免轰炸，长官部白天是照例不办公的，因此找不到人，得不到一点确实的消息。不过看情形却知道徐州已经很危急，城内老百姓也显得很有点慌张。一直等到天黑，才得到可靠的情报，知道徐州是被敌人包围了，于是立刻回到张家祠堂报告给大家知道。商议的结果是："冲出去吧！"我们队里曾向司令长官部领到大批战利品，其中两挺轻机关枪和三十支步枪，到这时候就更显得有价值了。于是马上挑选了一班同学组织尖兵队，打先锋搜索前进，大部分同学就跟在后面走着，这时候什么也顾不得了。所有此次带出来的还未用过的布幕道具一起丢在张家祠堂，私人的东西不用说更不得不割爱牺牲。有些人打了一个小小的包袱负在背上，但走不上几里路，一身臭汗，于是也只得不顾一切地把包袱丢在路傍了！

三

夜晚九点钟离开了徐州。当时我们的路线是想向萧县挺进，从蒙城和永城之间冲出去。但走到离开萧县还有十八里的遥楼，却发现萧县我军已经和敌人接触起来，不得已大家只得在遥楼停下休息。趁休息的时候，又举行一次小组讨论会，商量如何改变路线。第二中队的同学主张再回到徐州去另做打算，大家觉得把队伍分开作二批走也好，于是就让第二中队先走了。

十六日晨，我们到兵站总监——即后方勤务部去探问消息。这时候他们也正要搬家，打算从离开徐州二十里的郝寨穿过黄口出去。后来知道郝寨以西的杨楼发现敌人，没法通过，结果又作罢论。晚上六点钟我们就返身到十八村，沿途骡马络绎，风沙刮目，夜的静穆中只听见骡夫的吆喝和杂踏的脚步声，那情景真伟大极了！九时到十八村，借民屋安宿了一夜。

十七日晨，第二中队也到十八村来了。大家又碰在一起，问起来才知道他们昨天没去徐州，半路上在一个山坡上露宿了一晚。想不到大家会在这里集合，有说不出的高兴，但终觉得这样东奔西走，白跑了许多冤枉路不是个办法，和纪队长商量的结果，决意重回徐州去。走到段庄，敌机来了，我军用平射炮代高射炮射击。因为过去的经验，知道平射炮是专门打坦克车用的，同学们在惊慌中听见平射炮响，以为是敌人的坦克车冲过来了，大家拼命地往山上逃跑，就这样队伍分散了，只剩下严君和我，还是继续前进。段庄离开徐州仅三里路，第五战区司令长官部副官处在那边，事先我们已知道，并且找到了副处长林绍裘先生，探问到司令长官部移到什么地方。他告诉我们说就在这庄里的段家花园。于是两人立刻到段家花园，很侥幸地谒见了李司令长官、白副总长。还有汤恩伯将军和前第一战区警备司令黄泽民先生也在座。当时李、白两位就叫我们赶快去南宿州找第十一集团军廖总司令。我们立刻告辞，回到城里来，碰见了第二中队里的二个勤务兵，他们是出来采买东西的，知道有许多同学又重返云龙山下张家祠堂。但赶到张家祠堂一看，却只剩了第一中队的八个同学，和秦、徐两位政治指导员，及队副杨女士。据说其余的同学已先走了。我们带了八个同学就向南宿州走，沿途过处都留下路标，从十二点钟走起，下午三时到三堡，途中军队和难民也同路与我们一起走，秩序非常好。到三堡后向当地老百姓买饭吃，休息了一会后已五点钟，又往南走到曹村。我们走的是沿铁路以东的旧官道，沿途我军架着临时军用电话线，有兵守卫着。我们的机械化部队，装甲车，坦克车也在公路上来往逡巡着，对着车上荷枪士兵的雄姿，我们目送着他们发出无限的敬意。十点钟到曹村。曹村的老百姓都跑光了，我们摸进了一家民房，倒头便睡。

四

第二天（十八日）早晨，一早醒来就预备走。但大家肚子饿极了，好容易在另外一个民房里找到了一位老太婆，这算是曹村硕果仅剩的一个了。我们派了二位女同学去和她联络，费去好多唇舌，讲了很多好话，好容易才用钱买到了些面粉大家煮来充饥。吃完刚要走的时候，却发现一个落伍的散兵抢了老太婆的鸡吃。我们因为身边有枪，就不客气地把鸡夺了回来还给那老太婆，并骂了那士兵一顿，说不应该随便抢老百姓的东西，那兵很面红地走了！不料出乎意外地却是那老太婆对我们说出这样的话："先生！给他拿去吃好了！他一定是饿得没法才抢我们东西吃的！他们为国家打仗，吃吃我们东西也不要紧的！"以一个毫无知识的村婆会说出这样的话，真使我们惊叹一般老百姓对民族观念的认识已是相当提高了！因她一说，倒反使我们愧疚而深悔刚才的鲁莽了！

八时离开曹村，走了五个钟头于下午一时到夹沟，稍事休息后又走三十里到李家庄。庄内驻有 × 军的炮兵旅，因为我们身上穿着军装，说明是第五战区青年军团以后，就很容易地进了庄子。庄口有位炮手很安闲地在吃饭。远处轰轰地响，我们问他炮声是从什么地方来的。他说是萧县方面，离开这里九十里外，因风向的关系所以很清晰地传来了。进了庄子，幸而还有很多老百姓，化去一块钱买四只鸡烙饼吃，大家吃得很痛快，吃饱了就走，走时各人把剩下的烙饼装进口袋里去。二天行军的经验告诉我们发明了一句口号："吃饱就走，吃剩就装。"碰到没有老百姓的庄子，一点东西也吃不到的苦头是常常要尝到的，所以大家都学会"装"了！

下午六点，我们刚走出村口，迎面遇见了一个从南宿州来的传令兵。据报宿县十二里外已有敌人，我军有一部分正在退却中，劝我们不必去了。但我们因奉李、白两长官的命令非去谒见廖总司令不可，所以还是坚持前进。走了一里多路，路傍发现路标，三角圈里写着一个"青"字，箭头旁边写着"王家楼宿营"，知道我们的队伍已在前面。探问之下，知道王家楼仅离此十里路，于是继续前进。走到天黑下来，还没有到王家楼。依往常的经验，十里路普通走一个钟头就可以到达，看表却已走了二个钟头了。四面一片旷野，渺无人烟，于是就伏在地面上左右眺望。正在怀疑中，却发现左边有个树林子里隐隐地有灯光，于是跑步去。到地一看，树林旦有一大队的士兵正席地休息着，黑黝黝地看不清楚是那一军的。正在犹豫中，却发现一盏灯傍有个士兵挂着“青”字的臂章，仔细一看，原来是自己的同学。这一下高兴极了，马上就找到许多同伴，一看都是第二中队的同学，不想又在这里集合了，真有点意想不到。在树林里宿了一晚，由此我们知道已经跟上了部队，是第九师二十六旅，掩护师部突围的。预备明天拂晓冲过铁路往西走，并且知道李司令长官白副总长也被保卫着在前面走。

五

十九日晨，趁着黎明时候，天露着鱼肚色，大队平安地通过了铁道线，到王庄休息。因一夜未睡，饥渴交迫，王庄的老百姓又都跑光了，找不到东西吃，大家倦饿得难受。好容易第九师的士兵们找到了麦粉和馍馍，师部和政训处，蒙他们厚待我们，特地送了些给我们，大家狼吞虎咽地吃，吃完就睡觉。

因为要夜行军，当天下午黄昏时又开拔前进，一直走到第二天——二十日的天亮，前面发现敌人的骑兵，于是先头部队就发生遭遇战。大家于是赶快躺在路旁麦地里，只听见机关枪阁阁地响，子弹嗖嗖地从头顶飞过，这时候大家屏息凝气，紧张极了！幸而不到半个钟头很快地把敌人赶跑，一面更乘胜追击，派了二团人，向南往蒙城，向北朝永城推进，最前面还有先锋部队开路，我们大队人马夹在中间跟着冲出重围。就这样一口气跑着，下午四时，大队安全地到白沙集。因为开路的先锋部队有不少受伤的，在附近小村里疗养。第九师师长郑作民，副师长张琼和政训处长李先生要我们去慰问伤兵。一路上凡遇休息，我们终不放过机会和士兵谈话，做工作，一听到郑师长叫我们去慰问伤兵，大家高兴振作起来，这自然是责无旁贷，义不容辞的。于是师部派了二架军用卡车装了我们出发。一下车就看见很多伤兵在那里，他们是保卫我们突围而受伤的，我们见了心里很难过。因为没法演戏，大家只能唱歌去安慰他们，并做个别谈话，替他们写家信。傍晚回来时大家心里很愉快。郑师长和弟兄们也很高兴，他们觉得我们这种工作非常有意义，要求我们留下几个同学在他们部队里工作，当时有几个同学自愿地答应了。

离开白沙集当天晚上，到达涡阳，这已是安全地带。大家并不像昨天那么紧张了，从容地走着。涡阳城内已被敌机炸成一片焦土，我们到城外东北二三里外的村里休息。

因为第九师奉命到亳县布防，隔天——二十一日晨，我们全体又向亳县进发，下午四点到亳县。和涡阳一样，城内已炸得一塌糊涂。我们住在城北三里桥的民房里，到此已是绝对安全地带。几天的行军，这时候才放心地睡了一沉。

二十二日晨，蒙第九师梁参谋长的帮忙搭了师部的军用卡车一直到新郑，于是就一路平安地搭了平汉路车回到鸡公山来。

六

以上是我们这次徐州突围的经过。沿途所见和感想太多了，一时不能详述；但最值得注意的还是军民如何合作问题。有许多的老百姓，一听见军队要来了，大家就赶快把粮食收藏起来；有些地方的老太婆甚至把鸡蛋藏在灶洞里，不肯拿出来。我们的女同学也很聪明，特地和她们拜什么干妈干女儿，感情联络得非常融洽，于是那些老太婆就心甘情愿地把蛋从灶洞里摸出来给她们吃。以后我们每到一个地方，大家也会滑稽地向灶洞里去摸，有时居然也会摸出一些可以吃的东西来。有的地方，甚至一个老百姓也没有了，一听说军队来，就一齐逃光。这也难说，我们不能讳饰事实，有些地方，老百姓刚煮好了一大锅面饭等着还没吃，军队一到就给统统吃光，连谢也不叫一声就走了。害得老百姓只能利用晚上没有军队过境的时候偷偷地煮点东西吃。像这种现象，也没法怪老百姓要逃跑的。另一在士兵方面，一天要赶一二百里的路，没命的跑，很少机会得到休息；碰到敌人又要作战，一休息下来，自然有东西便抓来吃，这又何能怪他们呢？这种现象希望引起大家注意慢慢地加以克服才好。

其次，关于新兵问题。我们更不愿意欺骗自己，前方新兵的训练是非常不够的。有些军队，因为全是新兵，敌人还没有到，一听见大炮和敌机的响声，连枪也不敢放就没命地逃跑溃散了。沿途有枪的还要作拦路汉，把你身上东西一起剥光。我们同学中甚至连纪念章，万金油也搜去，不给他，他骂你是汉奸，令人啼笑皆非。所以后方关于新兵的训练，无论在军事或政治教育上都希望加以注意才好。

最后是关于我们自身的问题。即一般战地工作者，必需要有严格的军事训练才可深入战地工作，不然是很吃亏的；行军时偶受威胁就慌乱得被冲散，完全是因为不懂军事的关系；同时一天要跑一百八十里路，更非有健全的体格不可，身体稍差的走不动落了伍，一丢队就容易发生危险，要身体健强，也非军事训练不可！

以上三点是我们这次突围中的感想。

一九三八年六月十二日于鸡公山

再会罢徐州

宗祺仁

自从五月七日敌人占据了皖北的蒙城，继之永城的陷落，徐州即已失去了生命的屏障；及至陇海路李庄铁桥的被毁，敌人以坦克车和骑兵急急沿陇海路东侵黄口和萧县，这时徐州在地理形势上就失去了唯一的动脉血管，成了一个四面被围的孤立的死城！

我们生活在死城里，加以敌机自十日起的连续在徐州繁盛市区猛烈轰炸；城内居民，每天清早即扶老携幼向城外躲避，傍晚归来商民仍燃烛交易。记得在十六日的晚上，于满城风声鹤戾中，仍购得了毛巾和电棒；所以生活在已陷于死城中的人们，除感到日日敌机滥施轰炸的威胁外，并未感到生活在死城里的危险！这倒并不是“故作镇静”，实在是凭着徐州周围有数十万大军和李、白两先生的依旧谈笑风生，加强了我们的胆量。

恶劣的情报每分钟都在加强，前线传来的炮声愈来愈清晰，漆黑的市街上，除了火药气和乌鸦声外，一无所有，行走在瓦砾的市街上，像是步入了破碎的古墓丛一样凄惨冷落！十五日晚独往第五战区长官部，知道已下令准备出发，三日前还是整齐严肃的古道台衙门——徐州会战的指挥部，今日却成了难民收容所，箱箧锅担，满院子躺坐着候令出发的准备流亡客。在部遇同业数人，我们互道“伟大”之后，就杂谈着东南西北，是夜即在“候令出发”中过去了！

十六日晨李德邻先生由前方回长官部，得悉形势已稍好转。我们虽在“候令出发”候得不耐烦，但听到形势好转，心里也就平泰得多。当时我们甘愿坐听炮声，但愿永守徐州，不需出发为我们内心的一致企求！整日无事可做，除谈笑外，就只有静挨敌机轰炸和悉心细听传来的炮声，东车站的铁骨车头房，就在是日无抵抗中被敌机硫磺弹烧毁无遗！

十七日下午，敌人坦克车在九里山附近之平山口向城中发炮。因为在候命出发，我们做着最后镇静工夫。

一颗炮弹在长官部的上空爆炸，冲碎了我们候命的耐性；郭副官长回部传达李先生的命令，谓于夜七时在东站集合乘车出发！敌人的炮弹接连着向城内轰击，长官部数百患难朋友，自然地分成多少小组，沿着市街的墙脚，不忍分别似的轻步向城东南移动！

一　别了徐州

段家花园在城东南角，李、白两先生就在其间暂作办公地点。当我们抵达段家花园附近时，敌机来袭，对准密林丛中的段家花园投弹。我躺在麦田中，看着锥形的炸弹一个个向下掉，同行邓参议的勤务兵受弹片碰伤！敌机东去后，在麦田晤长官部宪兵哨，报告记者谓当敌机投弹时捕获敌人便衣队一名。记者趋视知系高丽人乔装我国难民，深叹敌人谍报工作做得精密，果然前线尚离城数十里，而敌人便衣队就已潜入我指挥官住处活动！

我们继续向东南方面前进，敌炮弹即连续向城内轰击。六时左右折返东车站，抵站知火车改在离徐州南面三十里地的三堡等候，又只能拖着笨重的脚步，于夜色朦胧中前进，我们默祷着“别了徐州，再会罢徐州”。

沿途炮声不绝，机关枪声亦清晰可数，不时在陇海东段放射出强烈的照空灯光，反光照耀着我们行走。抵三堡已夜十一时，遍购食物无着，不得已商请车役，做大饼稀米粥以充饥，我们都狼吞虎咽的抢着往嘴塞，结果因供不应求，差点儿动武。从这里体验到“衣食足而后知礼义”的真髓。车于清晨二点向南开行，我们满想可以直达南宿州，那知在人声嘈杂中醒来，天已明亮，方知车头缺水，只走了三十里即在曹村停驶，同车成群的逃命朋友，于怨恨之下，仍旧负着疲惫的身躯下车徒步前进！

我为着测验自己强度行军的忍耐力，结果到达夹沟车站，我已陷入“孤军深入”的境地，同行朋友都落在遥远的后面！在车站树林中晤长官部蔡副主任，他亦不知目的地究竟在何处。零乱的逃命客，三三两两，在零乱中仍显着镇静的神色！时中央社胡定芬君嘶着嗓子从后面赶来，我们商量之下，决定离开长官部而单独行动，因他同有五十一军负了伤的窦旅长。窦旅长带有卫士十余名，除长短枪外，并有机关枪四挺，弹药相当充足。我们决定前进，心想若遇少数敌人，凭几挺机枪，还可拼一拼，武装的小组总比成群的徒手为强，我们自然地唱着：“我们是铁的队伍……。”

由夹沟向南行进，一路行动部队颇多，探听之下知第 × 师李玉堂部就在铁路东南八九里地之桃园村中。我们即高粱饼和黄泥水充饥解渴，于敌机满天飞中向桃园行进。抵达李师长住处已下午三时。李师长告诉我们友军的行动，我们最兴奋的是知道据守在华北的汤军团亦已抵达此间，顿时我们觉得又新添了一支生力军来作我们“小组游击队”的卫军，我们的小组武装队伍，即决定扎营，随大军行动。

下午五时左右，李师长告我谓于六时左右出发，越铁路向正西方向西三铺附近前进。

二　夜行军

因为要等待先头部队的行走，故我们直至夜八时方行离开桃园。路上因行动部队太多，加以北方公路的简陋，只是在平地上抓条沟，既无碎石路面而路又狭小，以致行动极为迟缓。往往几辆汽车挤在一起，就无法行走，所以预计于十九日清晨抵达目的地，结果至晨十时方行到达。

下午遇汤军团的部队，他们两个晚上走了三百里地，现在仍是在强行军跑步式的前进；相较之下，我们真感着汗颜。过去我们虽常往前线跑，但大概都是短距离的行程，迟到一二小时，亦无关紧要，现在要一夜行百余里，而且必定要随队伍前进，环境上不容稍有落伍，真是一个严厉的试验！

十九日晨六时余过古饶集。阳光中尘土飞扬，前后队伍像潮水般的澎湃前进，我们的国宝——机械化部队，拉着重炮，风驰电闪般的向前飞奔；敌机三五成群连续前来侦察，并以机枪扫射；北方传来的炮声，配合着队伍中的马嘶声，自然地织成了清晨的交响曲。我们一路憧憬着此次大军西移，当可予皖中敌人一个迂回的歼灭；我们被这个未来伟大场面所吸引，即忍饥耐乏奋力随队伍前进！十一时抵达第 × 师师部王小庙，李师长已将部队布防完竣；我在疲惫中期待着厮杀的展开，一夜行军的疲乏，被新的期望诱惑而忘怀了。中午为着找寻汤军团部地址，骑马在原野的无数村庄中搜索！在离师部五六里地的大贾家晤到汤军团长，他忙着接电话计划部署，在军团部知道今夜仍要强行军西进！回李部已下午三时余，为着调和一天一晚的疲劳，即在村前树下躺下，正在甜睡之际，李师长派勤务兵来叫我，谓准备出发！

三　突围

原来津浦南段的固镇已陷落，萧县亦沦亡，我们已陷四面重围之中，敌人随时都有首尾袭击我们的危险，故我们应该赶速突破皖北敌人封锁线！李师长告我今夜行军方向及部队分配，知今夜需越过浍河，向界沟集与五沟集之间的敌人空隙突围冲出。五沟集与界沟集间只有十五华里的空隙，在这十五华里空隙间南路我军分三路冲出，第三师和第九师依界沟集顶左翼掩护中路军团部前进，右翼靠五沟集是百十一师等部队掩护前进，目的地在蒙城与涡阳间的檀城集附近。

李玉堂师在南路突围的友军中，是任务顶吃紧的部队，因他负有掩护中路的任务，所以经过路线离敌人据守的界沟集顶近！李师长先派工兵营前往浍河架设浮桥，并随之派遣一旅劲旅前往界沟集附近警戒！我和李师长等于六时由王小庙出发，抵浍河浮桥已夜十二时。原定计划在天未明前通过界沟集危险地带，但因人多路狭，加以向导引错了路，故抵界沟集附近已东方发白。心想今天通过这一关，肉搏冲锋，自己逼得也要干一次了！我们一路谈笑着近接厮杀的来临。李师长说："天明亦好，这次把他干一家伙，得劲我们就向蒙城进攻。"前面村庄中机枪嘟嘟的响起来了，老百姓只是向麦田里奔，继则听到断续的步枪声，知道我们的警戒部队已在与敌人接触。估计形势，不需要我们停留，我们仍旧继续前进。于七时左右通过界沟集，传骑来报告，悉只有少数敌人，我警戒部队早将敌人严密监视！敌人未敢出击，当时李师长颇以未奉出击命令为憾！我们于二十日晨十时安全抵达目的地——檀城与附近陈家集宿营。

四　安全地带

陈家集的老百姓见我们到达，诚朴的脸上都充满着笑容，年老的指挥着年幼的替我们担水烧茶；他们以没有修饰的语句，述说着暴敌的残酷。三天前陈家集的小山上还住了敌人，一个老者惊讶地说："日本鬼子真杀人放火，连老的都杀……"年老人向来以为敌人不致乱杀人，现在事实给他教训，在他们的心境中当然是出乎意料之外的。年轻人咬牙愤恨，敌人的到处烧杀淫掠，实在是唤醒熟睡中同胞的"活宣传员"。

下午骑马往晤第二军军长李延年氏，我们谈着这次退出徐州的东西南北。他于愤恨之余，一致的见解，认为我们这次打的是"××仗"。考究其原因，是由于台儿庄获利后的夸大自骄和轻视敌人，当时认敌人力量只有一面进攻的力量，不够南北两路同时进犯，事实上此次敌人既由皖北蒙城而永城，同时北面亦由金乡鱼台南下，夹袭陇海路，迂回徐州；再则对敌人进攻路线，估计得相当不周到，当初肯定敌人定由鲁南进犯徐州，故我们的主力部队全布置在徐州东面邳县台儿庄等地；待皖北告急，又因交通工具的不够及敌机的终日来回侦察轰炸，使抽调劲旅，不能如期到达指定地点，以致有敌人直窜永城切断陇海路的致命缺陷。

在陈家集宿营一夜。二十一日下午师部奉令继续向西北方向涡阳出发，并悉命令会同某某两师抵达亳州后，即回头反攻永城敌人。我们都感着很大的兴奋，李师长操着山东腔又是“干他一家伙”。夜七时由陈家集出发，沿途都印着敌人坦克车践踏的痕迹；曹市集附近一村庄，被敌人烧毁无遗，老百姓都在自家的颓垣旁盖上茅草而居；见我们经过，脸上表现出无尽的冤屈。曹市集旁还留有敌人建筑的工事，并遗有被我民团击毁的汽车，车上满涂着老百姓写的标语。字体颠颠倒倒，充分表现出民众对敌人的切齿愤恨！曹市集往西十余里，即达涡河，我军在涡河上架有浮桥。白天敌机轰炸浮桥未中，结果炸死平民多人，我们深夜行经该处时，被难家属犹在寂静的旷野中号哭着！清晨四时余抵达涡阳县东南八里地之马家寨！

二十二日夜由马家寨继续沿涡河前进，路过涡阳县城时，满城通红，火光冲天，据说尚系二十日敌机投掷燃烧弹。着火已两天两晚，城内房屋已烧去大半，火星飞出城外，连城外民房也烧毁颇多。城门是半开半闭，只站着一个警士，我问他为什么不加灌救，据答因火势凶猛，无法挽救，加以城中居民逃避一空，也无人灌救！

二十三日午城亳州东南高门楼遇一负伤的空军勇士程亚震，我自告奋勇伴送伊赴亳州。抵达亳州因机场破坏，救护机不能停留，即连夜至周家口，在航空站休息！于二十四日夜抵漯河站，遇到了中途拆散的朋友定芬等。二十五日晨乘车南下，列车抵信阳州北五里时，信阳州发生空战。我们下车躲在路旁高坡凹里，以望远镜遥看我机的英勇击敌。几月来徐州白挨轰炸的冤屈，似乎一下子就得报复了一样的痛快！车抵信阳州已下午五时，后面特别快车送来了我们徐州失散的同业十余位，顿时站台上变成了我们的世界。当时我们真像发了狂，在徐州失散，各人都怀念每个朋友的安全，竟会在信阳州车站团圆，真是可贵的纪念！我们搬上特别快车，在谈笑中于深夜抵达汉口！

别了徐州！再会徐州！

六，七，写于汉口旅次

再晤素园于汉皋

几　伊

故人入梦竟重回，不话巴山话劫灰。
但使迎头能赶上，无妨捐踵始归来。
却看士气如长蛛，猛突虏围似迅雷。
好共髯翁寻后约，何时痛饮歌风台。

步元韵奉和

林素园

死守徐州议不回，补天无计地成灰。
枪声掠耳犹呼战，马背拾衣亦傥来。
暗涉淝河天助雨，险过颖府眼当雷。
从今更切驱倭志，重上戚公平远台。

守蒙城的士兵和副师长

鲲

每次遇到征求敢死队的时候，人数常常嫌多，官长没有办法叫那一个不去。没有谁能禁止中国士兵的不怕敌人。

蒙城、永城、李庄、黄口怎样失陷的？敌人知道我们军队运动不够快——走路行军，牛车拉辎重，他还可以用飞机轰炸阻止我们行进。我们的援军赶不上他装兵的卡车、骑兵的飞跑和战车的挺进。因此他敢于冒着险，用少数兵力，脱了线，直逼到蒙城的城边。大队的飞机先来整天的面积轰炸，城里的房屋都变成矿粉，弹药、粮食化成灰。大炮在我们阵地上照着围棋的格子一样，无分昼夜地轰炸。最狠毒的还是那钢铁的大爬虫——坦克车，在大平原上横冲直撞，无法阻挡地毁坏着我们的阵地。

忿怒烧裂了我们士兵们的心，在蒙城城外的麦田里，多少士兵在密集弹底下爬行着，不退。到那家伙冲了过来的时候，一齐围拢来，爬到车顶上去，用手榴弹砸它的窗孔。可是，天晓得，那是五公分厚的玻璃！知道自己将要变成被蚂蚁钻满了的螳螂，敌人猛烈地转动他的车身，飞速地旋转着，把我们的士兵从车上甩下来，然后一个一个地碾死。你能想象出当时那种情境吗？

城外的阵地终于毁坏完了。城里围着一旅人。现在的问题不是死与不死，而是怎样和他交换些死。城墙已经不是连续的一个圈子，多少沙包、泥土、树木，勉强堵塞着那许多缺口。准备和他巷战吧，拼几个算几个！带这一旅人的副师长心里，这样盘算着。命令堆积沙土、树木、门板、木器，构筑巷战工事。可是敌人并不进来，只拿那无尽无休的炸弹和炮弹往城里投。

一天一夜之后，没有一间房子可以隐蔽人，树木都变成了烧焦的扫帚，弹药完全没有了。人在火伞下面无可计数的消灭着。

所有的士兵都集中到城上。步枪、手榴弹，城墙的砖和着嘶声的咒骂一齐抛到城外去。可是中了弹的城墙没有我们战士的心坚固，它的一块一截地崩塌，我们多少英雄的尸体跟着埋葬在土堆里。

敌人一定是拂晓攀城。这后半夜没有发炮。埋伏着最后的凶险的静夜，只能听到远远近近低微欲绝的伤痛呻吟。城墙上缓步走着的副师长，脚下踏来踏去都是自己弟兄的血和肉。

为什么不进来呢？不知道我们的人已经死尽了吗？副师长叫两个士兵去查一下还剩下几个人。他自己划了火柴吸烟。

“不要吸烟哪，副师长！”

“现在还怕什么？没有关系。你也吸一支吧！”他递一支烟给那个士兵。

“你广西家里还有什么人？”他们两个忘了敌人，忘了一切地在闲谈。

“报告副师长，连东边北边几个岗位一共还剩下十九个人！”来报告的士兵身后带来了六七个人。

“叫他们都到这里来——还守什么岗位？”他发着命令，自言自语的。城外一片黑，没有声息。风吹来血腥气和火焦气。城里几处火焰没有熄，喷着袅袅的白烟。

当他还没有把十九个人完全集中的时候，轰然的一声四面响起来敌人的枪炮，他们从几个缺口同时涌进来。

“我们等着做俘虏吗？弟兄们，跟我跳城啊！”副师长大叫了一声。他们一齐跳下去。

在城根底下的黑暗中，跌断了一条腿的副师长背靠着城墙坐着。士兵们要背他走，他拒绝了。他紧握着一只驳壳枪，来一个死一个，几十个日本兵陆续着横倒在他的前面。

“哈哈哈哈！”他怪声地笑了。

更多数的敌人立刻围逼住他，可是他没有忘记最后一颗子弹，士兵们看见他用枪口顶住自己的肚子，头低了下去。

后来仅余的两个士兵跑到廖磊将军的总司令部。

副师长姓周，名元。

皖北的红枪会

包之静

红枪会在今天，已经成为抗日战争巨流之一。在鲁东、鲁南、鲁西、豫东、江北、皖北，敌人的铁蹄到达的地方，以及行将到达的地方，红枪会在英勇的姿态下，为着保卫家乡——保卫国土，用着他们原始的武器，凭着他们的热血和强悍的体格与性情，不屈不挠地袭击着敌人。在平原上，在山地里，在湖边以及丛林中只要一见着敌人，便执着杆子去追逐着，像追逐一个土匪小贼一样。在他们一发现敌人，执起红杆子，烧着香，磕过头，冲到敌人的方向去的时候，他们热血的奔放是不可遏止的，一直要到消灭敌人为止。敌人的铁蹄到达那些区域以后，充分地表露着他们的兽行——奸淫掳掠，激起了广大农民的愤恨。红枪会便在这情势下普遍发展着，旧的重新建立起来，新的开始组织。“红学”在每个村庄里设立起来了，参加每个“红学”的总有几十个人，他们在敌人到来之前每个夜里执着红杆子在自己的村庄周围警卫，像军队里哨兵一样。乡村里的妇女和姑娘，也参加了“红学”，为着保卫自己。在她们的身上，兽军们休想发泄他们的兽欲。当她们在家里，料理着家务，没有执着红杆子的时候，她们的身上便隐藏着锋利的小刀和锥子，时时准备着如果敌人想她们的身上找到一点“快感”的时候，干脆地结束他的性命！

七八个月以来，我们在江北、皖北、鲁南、豫东的区域里工作、作战、行军的经历中，对我们帮助最大的，够得上称为我们的“朋友”的，就是这些千万万的农民自卫大众——红枪会！他们的勇敢和热情，不但值得我们敬佩而且值得我们去学习！在这七八个月的教训中，我们深深感觉到，如果不把这些广大的农民大众组织起来，加强他们的政治认识，相当地改善他们的生活，使他们进一步为保卫国土和民族而战，号召他们到抗日的统一战线里来的话，那不但会使我们的抗日统一战线削弱很大的力量，而且对于最后胜利把握的前途，便会蒙上一层暗淡的云雾！

过去的红枪会是对付危害他们的家乡的土匪和军阀时代扰乱他们家乡的散兵的，今天的红枪会正在急剧的转变中，他们对付的对象是危害民族的土匪，从保卫家乡，他们不得不进而保卫国土！在无数次与敌人的斗争中，他们的视野也渐渐地扩大了，如果当局能够在政治上去领导他们，生活上给他们保障，把现代的武器去交替他们手中的原始武器，那不但会增强我们的抗日统一战线，中华民族抗战胜利的曙光，也许就在这千千万万的农民大众的身上发射出来！

红枪会都是良民，以小自耕农为主，贫农和中农甚至富农都有参加。自从敌人侵入那些区域以后，红枪会和老百姓简直不能分别；他们为着保卫自己，都纷纷参加“红学”。当然各地的情形不是一样的，我现在单谈。

皖北的红枪会

我所谈的皖北的红枪会，从地域上看范围是很广的。东自江北的泗县，西迄与河南交界的太和、阜阳、临泉，北自河南的永城，南迄淮河流域的怀远、考城、上窑、凤台一直到正阳关。

皖北的红枪会的总数无法统计，但它的“红学”的组织普遍在这个区域里的每个大小村庄，它的数目一定是可惊人的了。

我上面已经说过，红枪会是对付危害他们家乡的土匪，和军阀时代扰乱他们家乡的散兵的。事实上，在军阀时代的兵与匪是很难分别的，自从民国成立以来到现在，在连年的内乱中，大批的散兵流入皖北为匪，骚扰着皖北这广大区域的村庄和农民：民国二年的讨袁之役的革命失败，所有的“乌合之众”都散而为匪，流入皖北；民国六年张勋复辟失败之后，其散兵流入皖北为匪；民国九年，直皖之战安福系失败之后其散兵亦流落到皖北；民国十三四年齐燮元失败，其部下之马玉仁白宝山所有的溃兵，统为盗匪侵入皖北。

皖北的红枪会在民国初年就开始有其组织，那时皖北闹着“白狼之乱”。红枪会到民国八九年才开始发展，民国十三四年可说到了澎涨时期，迄至民国十六年国民军北伐，吴佩孚失败，他的散兵退入皖北的时候，红枪会开始发挥其民众自卫的力量，整个地把它解决了。那是红枪会最盛的时期，其组织普遍于皖北——蚌埠、怀远、宿州、蒙城、太和、涡阳以迄河南的永城，皖北的红枪会在那时，可说是到登峰造极的时期！

民国十六年后，皖北红枪会可说到消沉时期。一直到现在，敌人的铁蹄踏上了这一片干净的平原之后，红枪会在新的姿态下，浪潮般的起来了。

皖北的红枪会有四个头儿，他们称之为“老师”。亳州 × 庄的李 × ×，蒙城 × × 铺的蔡 × × 和 × 石匠，凤台明路山的徐 × ×。每一个老师都有几个大徒弟，一切活动由徒弟支持的时候比较多，红枪会在形式上并没有很好的组织，徒弟学生和老师间没有什么界限，上下的观念，也很淡漠，因为根本大家都是农民。如果要谈到红枪会的组织，那么就是——

红学

“红学”可说是皖北红枪会的组织单位。“红学”是研究红枪会的学校。“红学”的设立是应环境的需要，由村镇当地农民自动开办，聘老师来教授。开办“红学”很简单，不须很多的经费，只要预备一点香费就得了。“红学”跟普通的民众夜校差不多，教授的时间大概在晚饭前后至半夜。因为他们白天大家仍旧种自己的田，做活着。参加“红学”的人，本村镇的青年农民占大多数，女子也有参加的，尤其在敌人到来以后。教授的科目：运气、刺枪、念符咒。在每次授课之前，必须先点香，然后由老师领导磕头。磕过头后，老师把符咒拿出来，然而老师自己却大都不识字。所以首先必须由识字的学生念一遍，念过后接着老师便说明学生所读的该符咒是属于那一种，并教学生如何应用该符咒。符咒的种数共有三百多，每个学生须学会其中一百种左右已足够应用了。像普通的乡村学校一样，“红学”在开办之初，由本村镇的人士设酒席请老师，同样地也须烧香，老师则率领有相当程度之学生若干人，一起来磕头。磕过头后，先由有相当程度之老学生用功夫：运气、刺枪……这就是所谓“红学”的开学礼。作为红枪会组织单位的“红学”，他们根本就没有什么严格的规则，他们不讲究任何的约束。如果要谈他们的常规，那么就是要守忠义，不得把符咒对局外人说。他们并不固执地守奉某种教义或信奉某个偶像，如果一定要说是有的，那么就是“元始天尊”和“老子”。然而他们在学习时，行动时都依照自己的意志，这两种信奉的对象对于他们是并没有多大关系的。

每个“红学”的学生，就是保卫家乡的斗士。在训练相当的时期以后，他们便每人执着一根红枪——头上是很锋利的一尺许长的枪头，下面结着红缨，红缨下面一根八九尺长的木杆——作为保卫自己，并消灭敌人的唯一武器。只要红枪一拿到手里，烧了香磕过头后，认定方向冲上去的时候，那股不可遏止的神情和勇气，足使敌人望风而逃。成光耀师长在谈突围经过时说：“敌军因感受红枪会不断攻击之重大威胁，白日间步哨均立于树间，至晚更不敢露面，因是国军乃能畅行……彼等设发现敌寇，姑不论其众寡，或自身有无枪支，必将敌寇全部歼灭而后止……。”由此，充分证明这“红学”的学生——农民青年大众力量之伟大和抗敌情绪之高涨。最近几个月以来，皖北红枪会跟敌人英武地搏斗着，并造成了很多可歌可泣的事迹。自从今年春津浦南段失

守，敌人进迫蚌埠、怀远一直到现在的几个月中，让我们计算这无数次的

红枪会与敌人的斗争

蚌埠红枪会自动地，在蚌埠失守以后，数度冲进蚌埠。那时驻蚌埠敌人数目很少，躲在电网的保护后不敢出击。在夜里，红枪会搬运食粮和布匹不计其数。

怀远西南明路山的红枪会渡过了淮河，在考城、上窑、刘府一带和敌人冲突好几次，消灭敌军三百余名于上窑，曾获步枪二百余，炮六门。后来，为着取得更大的胜利，继与 × 军约定共同攻 × 山，山上有敌人的重炮六门，这是敌人掩护进攻蚌埠、怀远用的。当时红枪会自愿冲攻 × 山的山头，他们所要求 × 军的很简单，只要供给他们给养并用炮在后掩护，但后来因粮食无法接济及其他原因，结果红枪会无法支持而退却。

定远池河 × 小姐领导六千红枪会在该县附近和敌人冲突好多次，直到现在仍继续着。定远附近有党员方 × × 领导红枪会七千余和敌人周旋着。

敌人攻下蚌埠、怀远后，绅士张 ×× 领导六千余红枪会，一度攻进怀远，并围攻 × 山，消灭敌人六十余，前后共零碎消灭敌人四百余。

以上这些，是已经发动起来的红枪会，并且已经直接与敌人斗争了。据我知道，另外还有已经发动而没有经过斗争，以及正在发动并且准备着跟敌人斗争的，很多。

在蒙城，× 师师长 ×× 和 × 团团长 ×× 深切了解红枪会的力量，曾坚决地会同该县县长 ××× 召开一次全县联保会议，决定发动人民自卫力量，以“人不离乡，枪不离土”为原则，加紧恢复红枪会的活动，使民团势力与红枪会力量配合起来。同时找出红枪会的首领蔡 ×× 和 × 石匠等，指示他们的活动方针，在蒙城的发展特别迅速，在两次的群众大会中，执着红缨木杆子枪的农民大众达三万余人！

在皖北，红枪会到处在发动着，“红学”的发展尤不可统计，零零碎碎的不再多述了。

总之，红枪会——农民自卫大众已经成为抗日战争巨流之一，这是无可否认的事。皖北的红枪会已走上了民族斗争的道路，这也是放在全国同胞面前的铁的事实！不容忽视了，赶快争取这千万万的农民自卫大众到抗日统一战线里来吧，保障中原大会战的胜利，迅速赶走日本强盗出中国去，争取中华民族的最后胜利！

三联经典文库第二辑简目

《游击战教程》 明凡 / 著

《游击战术纲要》 陶剑青 / 编著

《汪精卫卖国的理论与实践》 钱俊瑞 / 著

《抗战以来》 韬奋 / 著

《陕行纪实》 楚云 / 著

《随军散记》 沙汀 / 著

《被日寇囚系半载记》 王研石 / 著

《倭营历险记》 房沧浪等 / 著

《活跃的新西北》 田影 / 编著

《保卫华北的游击战》 刘清扬 陈北鸥等 / 著

《徐州突围》 《徐州突围》编委会 / 编

《沦亡的平津》 长江 小方等 / 著

《淞沪火线上》 胡兰畦等 / 著

《瞻回东战场》 长江 罗平等 / 著

《东线的撤退》 胡兰畦等 / 著

《抗战中的西北》 徐盈 / 著

《鲁闽风云》 徐盈等 / 著

《西线生活》 西北战地服务团集体创作

《中国解放区见闻》　［美］福尔曼著 / 朱进译

《全面抗战论》　潘汉年 / 著

《日本的间谍》　范士白自述 / 尊闻译

《日本大陆政策的真面目》　国难资料编辑社 / 编

《民众动员论》　李公朴 / 著

《中国外交史》　钱亦石 / 编著

《太平洋军事地理》　蒋震华 / 著

《世界经济地理讲话》　思慕 / 著

《列强军力论》　［德］马克斯 · 威纳尔著 / 宾符　仲持　梅益等译

《近代国际关系史》　张铁生 / 著

《太平洋现势手册》　沈志远　石啸冲 / 编著

《近代世界政治史》　钱亦石 / 著

《从战争到和平——一九四五年的世界政治》　乔木 / 著

《战后日本问题》　思慕 / 著

《最近一年间的国际动态（1946.7—1947.6）》　《东北日报》社 / 编

《论政党》　翟放 / 著

《法与宪法》　韩幽桐 / 编著

《中华民国宪法刍议》　罗家衡 / 著

《民主 · 宪法 · 人权——作之民》　费孝通 / 著

《宪法论初步》　潘念之 / 著

《对反民主的抗争》　韬奋 / 著

《农村改进的理论与实际》　江恒源 / 著

《上海产业与上海职工》（上下）　　朱邦兴　胡林阁　徐声 / 合编

《陶行知教育论文选辑》　　陶行知著 / 方与严编

《中国通货膨胀论》　　杨培新 / 著

《中国及其未完成的革命》　　H・普拉特著 / 蒋天佐译

《中国的建设问题与人的训练》　　卢作孚 / 著

《论中国特殊性及其他》　　艾思奇 / 著

《中国经济问题讲话》　　钱俊瑞　徐雪寒　王渔邨　姜君辰　骆耕漠 / 合著

《中国经济的道路》　　许涤新 / 著

《中国财政之病态及其批判》　　孙怀仁 / 著

《官僚资本论》　　许涤新 / 著

《五四运动之史的评价》　　陈端志 / 著

《中国通史简编》（上下）　　中国历史研究会　范文澜 / 主编

《论文学的工农兵方向——读〈在延安文艺座谈会上的讲话〉》　雪苇 / 著

《中国近代史（上编　第一分册）》　　武波 / 编著

《文学百题》　　傅东华 / 编

《中国史学之进化》　　周谷城 / 著

《论民族形式问题》　　胡风 / 著

《论批评》　　荃麟等 / 著

《中国史纲》（第一卷上下、第二卷上下）　　翦伯赞 / 著

《近代中国思想学说史》（1–4）　　侯外庐 / 著

《中国政治思想史》（上下）　吕振羽 / 著

《中国哲学史纲要》　向林冰 / 著

《中国政治史讲话》　钱亦石 / 著

《中国社会经济史纲》　王渔邨 / 著

《新财政学大纲》　千家驹 / 著

《太平天国革命运动论文集——金田起义百周年纪念》

华北大学历史研究室 / 编

《理性与自由——文化思想批评论文集》　胡绳 / 著

《战斗者的诗人》　黄药眠 / 著

《国语文法》　曹朴 / 著

《教育哲学》　张栗原 / 著

《妇女问题讲话》　杜君慧 / 著

《婚姻 · 子女 · 继承》　沙千里 / 著

《性教育新论》　布士克　雅各生合著 / 董秋斯译

《狱中杂感》　杜重远 / 著

《七人之狱》　沙千里 / 著

《爱迪生传》　伍况甫 / 译

《歌德自传》（上下）　歌德著 / 思慕译

《尼赫鲁自传》　［印度］尼赫鲁著 / 毕来译

《列宁传》　［苏］凯尔任采夫著 / 企程　朔望译

《罗斯福总统传》　C．Mackenzie 著 / 张尚之译

《托尔斯泰传》（1–3）　［英］阿尔麦 · 莫德著 / 徐迟译

《革命文豪高尔基》　［美］亚历山大 · 康恩著 / 韬奋编译

《鲁迅纪念特辑》　新中国文艺社 / 编

《回忆鲁迅先生》　萧红 / 著

《人民文豪鲁迅》　平心 / 著

《亡友鲁迅印象记》　许寿裳 / 著

《鲁迅思想研究》　何干之 / 著

《鲁迅研究》　夏征农 / 编

《过来的时代：鲁迅论及其他》　雪峰 / 著

《电影戏剧表演术》　洪深 / 著

《日常心理漫谈》　［美］约瑟夫・查斯特罗著 / 曾宝葹译

《心理常识漫话》　朱智贤　杨云美 / 著

《读书的方法与经验》　王任叔 / 著

《美国黑人生活纪实》　［美］加德维尔　斯坦倍克著 / 董秋斯译

《初访美国》　费孝通 / 著

《事业与成功》　［美］马尔腾著 / 汪原放译

《萍踪寄语（初集）》　韬奋 / 著

《一生的幸福前途——〈生活周刊〉信箱选集》　生活书店 / 编选

《深刻的印象》　生活周刊社 / 编

《海外的感受》　生活书店编译所 / 编

ISBN 978-7-108-04752-6
9 787108 047526 >
定价：45.00元